#홈스쿨링
#초등 영어 독해 기초력

**똑똑한
하루
Reading**

똑똑한 하루 Reading
시리즈 구성 (Level 1~4)

Level 1 A, B
3학년 영어

Level 2 A, B
4학년 영어

Level 3 A, B
5학년 영어

Level 4 A, B
6학년 영어

똑똑한 하루 Reading만의

똑똑한
부가 자료

● 책 속 부록

머위 리스트

● 온라인 자료

QR
▷ QR코드를 스캔하여 편리하게 음원을 들으며 학습하세요.

추가 활동지
▷ 다양한 추가 활동지를 book.chunjae.co.kr 에서 다운 받으세요.

똑 똑 한
하루
Reading ♥

4주 완성 스케줄표

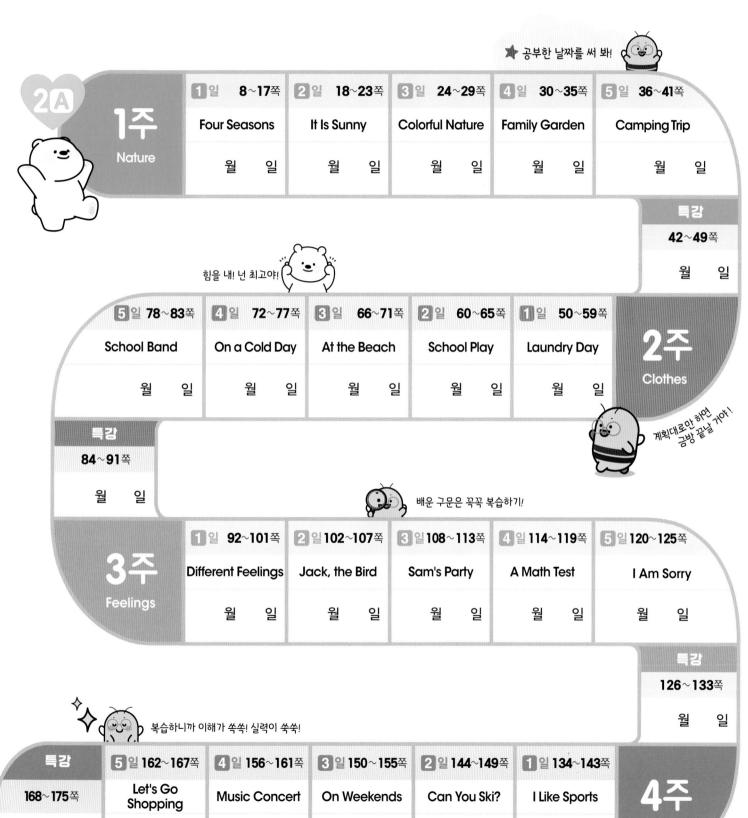

⭐ 공부한 날짜를 써 봐!

똑똑한 하루 Reading

똑똑한 QR 사용법

QR 음원 편리하게 듣기

1. 표지의 QR 코드를 찍어
   리스트형으로 모아 듣기

2. 교재의 QR 코드를 찍어 바로 듣기

편하고 똑똑하게!

Chunjae
Makes
Chunjae

똑똑한 하루 Reading 2A

편집개발	신원경, 정다혜, 박영미, 이지은
디자인총괄	김희정
표지디자인	윤순미, 이주영
내지디자인	박희춘, 이혜미
제작	황성진, 조규영

발행일	2021년 11월 15일 초판 2024년 10월 15일 3쇄
발행인	(주)천재교육
주소	서울시 금천구 가산로9길 54
신고번호	제2001-000018호
고객센터	1577-0902

구성과 활용 방법

한 주 미리보기

미리보기 만화

미리보기 활동

- 재미있는 만화를 읽으며 이번 주에 공부할 내용을 생각해 보세요.
- 간단한 활동을 하며 이번 주에 배울 단어와 구문을 알아보세요.

step 1

- 재미있는 만화를 읽으며 오늘 읽을 글의 내용을 생각해 보세요.
- QR 코드를 찍어 새로 배울 단어나 어구를 듣고 써 보세요.

step 2

- 짧고 쉬운 글을 읽고 글의 주제를 알아보고 주요 구문을 익혀 보세요.
- QR 코드를 찍어 글을 듣고 한 문장씩 따라 읽어 보세요.
- 문제를 풀어 보며 글을 잘 이해했는지 확인해 보세요.

다양한 활동을 하며 오늘 배운 단어와
주요 구문을 복습해 보세요.

누구나 100점
TEST

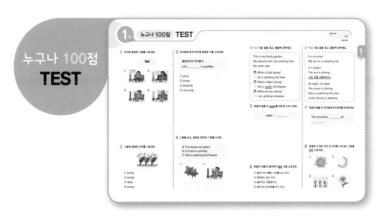

문제를 풀어 보며 한 주 동안 배운 내용을 얼마나
잘 이해했는지 확인해 보세요.

Brain Game Zone

한 주 동안 배운 내용을 창의·사고력 게임으로
재미는 두 배, 사고력은 UP!

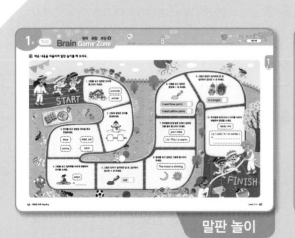

말판 놀이

창의·사고력 게임

창의·서술형

하루 구문 미리보기

♥ 문장을 이루는 것에는 무엇이 있는지 미리 알아볼까요?

주어

동사가 나타내는 동작이나 상태의 주체를 말해요.

I like pizza. 나는 피자를 좋아해.
주어 동사

동사

주어의 동작이나 상태를 나타내는 말이에요.

They play together. 그들은 함께 놀아.
주어 동사

목적어

동사가 나타내는 동작의 대상이 되는 말이에요.

She reads books. 그녀는 책을 읽어.
동사 목적어

보어

주어를 보충해서 설명하는 말이에요.

He is kind. 그는 친절해.
주어 보어

함께 공부할 친구들

서준 ▶ 스마트폰 촬영을 좋아하는 개구쟁이

하윤 ▶ 친구들을 도와주는 다정한 미소 천사

레오 ▶ 개그 담당 말썽꾸러기 사막여우

까오 ▶ 레오 단짝 귀여운 까마귀

1주에는 무엇을 공부할까? ❶

📦 재미있는 이야기로 이번 주에 공부할 내용을 알아보세요.

Nature 자연

A

◉ 각 계절의 온도는 어떤지 말하고, 여러분이 제일 좋아하는 계절에 동그라미 해
보세요.

It is + 온도 + **in** + 계절. …에는 ~해.

spring

summer

fall

winter

B

와~ 눈 온다.
우리 눈싸움하자.

나 눈싸움 잘하는데 괜찮겠어?

꼬마야, 넌 작아서
내 상대가 안 돼.

어디 덤벼 보시지.

으악!

◉ 오늘 날씨에 ✔ 표 해 보세요.

It is ~. (날씨가) ~해.

sunny

rainy

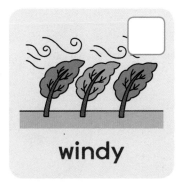

windy

snowy

사계절

계절

Four Seasons

🎁 **재미있는 이야기로 오늘 읽을 글의 내용을 생각해 보세요.**

New Words 오늘 배울 단어를 듣고 써 보세요.

spring
봄

warm
따뜻한

summer
여름

hot
더운

fall
가을

cool
시원한

winter
겨울

cold
추운

Four Seasons

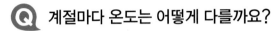

Q 계절마다 온도는 어떻게 다를까요?

It is warm in spring.
We can go on a picnic.

It is hot in summer.
We can go to the beach.

It is cool in fall.
We can go for a bike ride.

It is cold in winter.
We can play on the ice.

 하루 구문

It is + 온도 + **in** + 계절. …에는 ～해.

계절의 온도를 말하는 표현이에요. 이때 It은 '그것'이라고 해석하지
않아요. 그리고 계절을 나타내는 단어 앞에는 in을 써요.

영어로 '가을'은 autumn이라고도 해요.
fall은 주로 미국식 영어에서, autumn은
주로 영국식 영어에서 써요.

Let's Check

▶정답 1쪽

A 글의 내용과 일치하도록 빈칸에 알맞은 것을 고르세요.

1. In summer, we can go _____.

   ⓐ on a picnic   ⓑ to the beach   ⓒ for a bike ride

2. In _____, we can play on the ice.

   ⓐ spring   ⓑ summer   ⓒ winter

B 그림에 알맞은 문장을 연결하세요.

1.  •

    • It is warm in spring.

2.  •

    • It is cool in fall.

3.  •

    • It is hot in summer.

Let's Practice 집중 연습

 그림에 알맞은 단어를 연결하세요.

1.

2.

3.

•

•

•

•

•

•

summer

spring

winter

B 그림에 알맞은 단어를 보기 에서 골라 문장을 완성하세요.

보기   hot   cool   cold

1.

It is _____ in fall.

2.

It is _____ in winter.

▶정답 1쪽

C 그림에 알맞은 문장을 완성하세요.

1.

<u>   warm   spring.</u>

봄에는 따뜻해.

2.

<u>   hot   summer.</u>

여름에는 더워.

D 그림에 맞게 단어나 어구를 바르게 배열하여 문장을 쓰세요.

1.

(in winter / cold / is / It)

겨울에는 추워.

2.

(is / warm / in spring / It)

봄에는 따뜻해.

날씨가 화창해

날씨

It Is Sunny

📦 **재미있는 이야기로 오늘 읽을 글의 내용을 생각해 보세요.**

New Words   오늘 배울 단어를 듣고 써 보세요.

sunny 화창한, 맑은

rainy 비가 오는

windy 바람이 부는

snowy 눈이 오는

weather 날씨

snowman 눈사람

It Is Sunny

Q 각 날씨에 무엇을 하자고 제안할 수 있을까요?

Tom and Julie look out the window.

How is the weather?

It is sunny. Let's go out.

It is rainy. Let's jump in puddles.

It is windy. Let's fly a kite.

It is snowy. Let's make a snowman.

하루 구문

It is + 날씨. (날씨가) ~해.
날씨를 말하는 표현이에요. 이때 It은 '그것'이라고 해석하지 않아요.

Let's + 동사원형. ~하자.
상대방에게 어떤 일을 함께 하자고 제안하는 표현이에요. Let's 뒤에는 동사의 원형을 써야 한다는 것에 주의해야 해요.

Let's Check

▶정답 2쪽

 문장을 읽고 글의 내용과 일치하면 , 일치하지 않으면 에 동그라미 하세요.

1. It is rainy. Let's fly a kite.

2. It is snowy. Let's make a snowman. T F

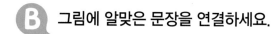 그림에 알맞은 문장을 연결하세요.

1.  •   • Let's jump in puddles.

2.  •   • It is sunny.

3.  •   • Let's make a snowman.

Let's Practice 집중 연습

Reading 2일

똑똑한 하루

A 그림에 알맞은 단어를 연결하세요.

1.    2.    3.

B 그림에 알맞은 단어를 보기 에서 골라 문장을 완성하세요.

보기   weather   snowman   windy

1.    Let's make a _____ .

2.    It is _____ .

C 그림에 알맞은 문장을 완성하세요.

1.

_____ rainy.

비가 와.

2.

_____ in puddles.

물웅덩이로 뛰어들자.

D 그림에 맞게 단어를 바르게 배열하여 문장을 쓰세요.

1.

(out / Let's / go)

밖에 나가자.

2.

(is / snowy / It)

눈이 와.

다채로운 자연

색깔

Colorful Nature

📦 **재미있는 이야기로 오늘 읽을 글의 내용을 생각해 보세요.**

New Words 오늘 배울 단어를 듣고 써 보세요.

blue 파란색

red 빨간색

yellow 노란색

green 초록색

flower 꽃

leaf 나뭇잎

Colorful Nature

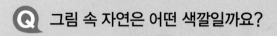

Q 그림 속 자연은 어떤 색깔일까요?

The sky is blue.

I need blue paint.

The flower is red.

I need red paint.

The butterflies are yellow.

I need yellow paint.

The leaves are green.

I don't have green paint.

I mix blue and yellow.

하루 구문

· 주어 + **be**동사 + 색깔 형용사. …는 ~색이야.

· **I need** + 색깔 형용사 + 명사. 나는 ~색 …가 필요해.

색깔을 나타내는 형용사는 문장에서 be동사 뒤에 오기도 하고 명사 앞에 오기도 해요.

> butterfly의 복수형은 y를 i로 고치고 es를 붙여서 만들고, leaf의 복수형은 f를 v로 고치고 es를 붙여서 만들어요.

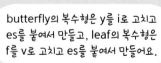

Let's Check

▶ 정답 3쪽

A 글의 내용과 일치하도록 괄호 안에서 알맞은 것을 골라 동그라미 하세요.

1. The flower is (red / yellow).

2. The boy doesn't have (blue / green) paint.

B 그림에 알맞은 문장을 연결하세요.

1.

   •   • The sky is blue.

2.

   •   • I need red paint.

3.

   •   • I mix blue and yellow.

Let's Practice 집중 연습

 그림에 알맞은 단어를 연결하세요.

1.

2.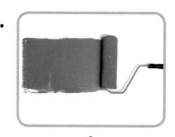

3.

red

leaf

blue

B 그림에 알맞은 단어를 보기 에서 골라 문장을 완성하세요.

보기   flower   green   yellow

1.

The _____ is red.

2.

The butterflies are _____.

C 그림에 알맞은 문장을 완성하세요.

1.

The sky _____.

하늘은 파란색이야.

2.

I need _____.

나는 빨간색 물감이 필요해.

D 그림에 맞게 단어나 어구를 바르게 배열하여 문장을 쓰세요.

1.

(need / paint / I / blue)

_____

나는 파란색 물감이 필요해.

2.

(green / are / The leaves)

_____

나뭇잎은 초록색이야.

가족 정원

하고 있는 일

Family Garden

📦 재미있는 이야기로 오늘 읽을 글의 내용을 생각해 보세요.

New Words 오늘 배울 단어를 듣고 써 보세요.

work 일하다

plant 심다

water 물 주다

pick 따다

tree 나무

tomato 토마토

Family Garden

Q 그림 속 사람들은 지금 무엇을 하고 있을까요?

This is my family garden.

My parents and I are working here.

My sister calls.

What is Dad doing?

He is planting the trees.

What is Mom doing?

She is watering the flowers.

What are you doing?

I am picking tomatoes.

하루 구문

주어 + be동사 + 동사원형ing ~. …는 ~하고 있어.

주어가 지금 하고 있는 일을 말하는 표현이에요. 지금 무엇을 하고 있는지
물을 때는 「What+be동사+주어+doing?」이라고 말해요.

water는 명사로 쓰이면
'물'이라는 뜻이고, 동사로 쓰이면
'물 주다'라는 뜻이에요.

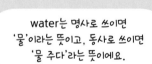

Let's Check

▶정답 4쪽

 문장을 읽고 글의 내용과 일치하면 T, 일치하지 않으면 F에 동그라미 하세요.

1. The girl and her parents are working in the garden.

2. The girl's brother calls.

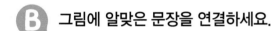 그림에 알맞은 문장을 연결하세요.

1.  • • I am picking tomatoes.

2.  • • He is planting the trees.

3.  • • She is watering the flowers.

Let's Practice 집중 연습

A 그림에 알맞은 단어를 연결하세요.

1.

2.

3.

plant

water

tomato

B 그림에 알맞은 단어를 보기 에서 골라 문장을 완성하세요.

보기   tree   pick   work

1.

He is planting the _____s.

2.

I am _____ing tomatoes.

C 그림에 알맞은 문장을 완성하세요.

1.

We   here.

우리는 여기서 일하고 있어.

2.

I   tomatoes.

나는 토마토를 따고 있어.

D 그림에 맞게 단어나 어구를 바르게 배열하여 문장을 쓰세요.

1.

(planting / She / the trees / is)

그녀는 나무를 심고 있어.

2.

(watering / is / She / the flowers)

그녀는 꽃에 물을 주고 있어.

캠핑 여행
Camping Trip 1~4일 복습

재미있는 이야기로 오늘 읽을 글의 내용을 생각해 보세요.

New Words 오늘 배울 단어를 듣고 써 보세요.

1주

sun 해, 태양

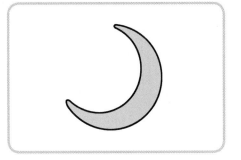

moon 달

star 별

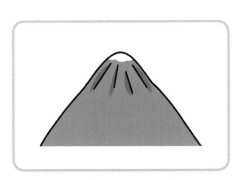

mountain 산

bright 밝은, 환한

dark 어두운

Camping Trip

Q 그림에서 낮과 밤은 어떻게 다를까요?

It is summer.

We are on a camping trip.

It is bright.

The sun is shining.

The mountain is all green.

At night, it is dark.

The moon is shining.

Alice is watching the stars.

Look! Johnny is sleeping.

하루 구문 복습!

It is + 온도 **+ in +** 계절. …에는 ~해.　　　**It is +** 날씨. (날씨가) ~해.

Let's + 동사원형. ~하자.　　　주어 **+ be**동사 **+** 색깔 형용사. …는 ~색이야.

I need + 색깔 형용사 **+** 명사. 나는 ~색 …가 필요해.

주어 **+ be**동사 **+** 동사원형**ing ~.** …는 ~하고 있어.

Let's Check

▶정답 5쪽

A 글의 내용과 일치하도록 빈칸에 알맞은 것을 고르세요.

1. The mountain is all _____.

   ⓐ red   ⓑ yellow   ⓒ green

2. Johnny is _____.

   ⓐ singing   ⓑ sleeping   ⓒ watching the stars

B 그림에 알맞은 문장을 연결하세요.

1.  • | • The sun is shining.

2.  • | • At night, it is dark.

3.  • | • We are on a camping trip.

Let's Practice 집중 연습

A 그림에 알맞은 단어를 연결하세요.

1.

2.

3.

●　　　　　　　●　　　　　　　●

mountain　　　　　sun　　　　　star

B 그림에 알맞은 단어를 보기 에서 골라 문장을 완성하세요.

보기　**bright**　　**moon**　　**dark**

1.

The _____ is shining.

2.

At night, it is _____ .

C 그림에 알맞은 문장을 완성하세요.

1.

　　　summer.

여름이야.

2.

　　　bright.

밝아.

D 그림에 맞게 단어나 어구를 바르게 배열하여 문장을 쓰세요.

1.

(is / Ann / the stars / watching)

앤은 별을 보고 있어.

2.

(is / green / The mountain)

산은 초록색이야.

1 단어에 알맞은 그림을 고르세요.

hot

①

②

③

④

2 그림에 알맞은 단어를 고르세요.

① sunny
② windy
③ rainy
④ snowy

3 우리말에 맞게 빈칸에 알맞은 것을 고르세요.

물웅덩이로 뛰어들자.
Let's _____ in puddles.

① jump
② jumps
③ jumping
④ can jump

4 그림을 보고, 알맞은 문장의 기호를 쓰세요.

ⓐ The leaves are green.
ⓑ It is hot in summer.
ⓒ She is watering the flowers.

(1)

(2)

[5~6] 다음 글을 읽고, 물음에 답하세요.

This is my family garden.
My parents and I are working here.
My sister calls.

What is Dad doing?
He is planting the trees.
What is Mom doing?
She is <u>water</u> the flowers.
What are you doing?
I am picking tomatoes.

5 윗글의 밑줄 친 water를 바르게 고쳐 쓰세요.

water → _____

6 윗글의 내용과 일치하지 <u>않는</u> 것을 고르세요.

① 글쓴이의 아빠는 나무를 심고 있다.
② 정원에는 꽃이 있다.
③ 글쓴이는 외동딸이다.
④ 글쓴이는 토마토를 따고 있다.

[7~8] 다음 글을 읽고, 물음에 답하세요.

It is summer.
We are on a camping trip.

It is bright.
The sun is shining.
<u>산은 온통 초록색이야.</u>

At night, it is dark.
The moon is shining.
Alice is watching the stars.
Look! Johnny is sleeping.

7 윗글의 밑줄 친 우리말에 맞게 문장을 완성하세요.

The mountain _____ all
_____.

8 윗글에 소개된 자연 속 단어를 나타낸 그림을 <u>모두</u> 고르세요.

①   ②

③   ④

배운 내용을 떠올리며 말판 놀이를 해 보세요.

START

1. 그림을 보고 알맞은 단어에
   동그라미 하세요.

   summer

   winter

2. 그림에 알맞은 단어를
   완성하세요.

   s [ ] ow [ ] an

3. 단어를 읽고 알맞은 우리말 뜻과
   연결하세요.

   blue ·   · 화창한, 맑은

   sunny ·   · 파란색

4. 그림을 보고 알파벳을 바르게 배열하여
   단어를 쓰세요.

   atlpn

   → _____

5. 그림과 단어가 일치하면 O 표, 일치하지
   않으면 × 표 하세요.

   red [ ]

9. 그림과 문장이 일치하면 ○ 표, 일치하지 않으면 ✕ 표 하세요.

It is bright.

8. 그림을 보고 알맞은 문장에 ✓ 표 하세요.

I need blue paint.

I need yellow paint.

10. 우리말에 맞게 단어나 어구를 바르게 배열하여 문장을 쓰세요.

겨울에는 추워.

(is / cold / It / in winter)
→ _____
_____

7. 우리말에 맞게 괄호 안에서 알맞은 것을 골라 동그라미 하세요.

날씨가 따뜻해.

(It / This) is warm.

6. 문장을 읽고 알맞은 그림에 동그라미 하세요.

The moon is shining.

FINISH

A 단서 를 보고 단어에 알맞은 알파벳 칸을 색칠한 후, 숨어 있는 한글 자음을 찾아 쓰세요.

단서

w	c	o	f	g
a	b	h	m	r
r	r	e	d	e
m	i	q	a	e
t	r	e	e	n

한글 자음: _____

B 출발에서 도착까지 단어가 만들어지도록 칸을 이동한 후, 만든 단어로 문장을 완성하세요.

1.

출발 d	a
n z	r
c 도착	k

At night, it is _____.

2.

i	k	출발
t	r	q
e	도착	o

Let's fly a _____.

C 단서 를 보고 그림에 알맞은 색깔을 칠한 후, 문장을 완성하세요.

The butterflies are _____.

Step A

그림 단서를 보고 보기 에서 알맞은 단어를 골라 퍼즐을 완성하세요.

보기   mountain   dark   sun   moon

❶
❷
❸

Step B

Step A 의 단어를 사용하여 글을 완성하세요.

It is summer.

We are on a camping trip.

It is bright.

The _____ is shining.

The _____ is all green.

At night, it is _____.

The _____ is shining.

Alice is watching the stars.

Look! Johnny is sleeping.

Step C

단서 를 보고 암호를 풀어 문장을 쓰세요.

단서   ◎ = watching   ♥ = is   ♧ = It

1.   ♧ ♥ summer.

여름이야.

2.   Alice ♥ ◎ the stars.

앨리스는 별을 보고 있어.

창의 서술형

✎ 여러분이 캠핑장에 있다고 상상하며 글을 완성하세요.

It is _____.

We are on a camping trip.

It is _____.

The sun is shining.

At night, it is _____.

The moon is shining.

I am watching the _____.

2주에는 무엇을 공부할까? ①

🎁 재미있는 이야기로 이번 주에 공부할 내용을 알아보세요.

Clothes 옷

1일 Laundry Day **2일** School Play **3일** At the Beach

4일 On a Cold Day **5일** School Band

2주차 공부할 내용

2주

Level 2 A • 51

◉ 그림을 보고 친구의 옷 색깔을 우리말로 써 보세요.

He/She has a/an + 형용사 + 명사. 그/그녀는 …색 ~가 있어.

shirt
(　　　　)

T-shirt
(　　　　)

jacket
(　　　　)

skirt
(　　　　)

dress
(　　　　)

B

◉ 입는 계절이 나머지와 다른 것을 골라 ✔ 표 해 보세요.

Put on your ~. ~를 입어.

coat

scarf

boots

sweater

swimsuit

답 ▶ 슈츠임수

Laundry Day

빨래하는 날

옷①

📦 **재미있는 이야기로 오늘 읽을 글의 내용을 생각해 보세요.**

New Words 오늘 배울 단어를 듣고 써 보세요.

shirt 셔츠

jacket 재킷

pants 바지

laundry 빨래, 세탁

black 검은색

pink 분홍색

Laundry Day

Q 남자아이는 어떤 옷이 있을까요?

It is laundry day.
Jack helps his mom.

He has a black shirt.
He has a red jacket.
He has green pants.
He has pink socks.

Where is my sock?
I can't find it.
Oh, Spot has it.

하루 구문

He/She has (a/an) + 형용사 + 명사.
그/그녀는 ⋯색 ~가 있어.

형용사는 명사 앞에 위치해서 명사의 색깔이나 상태를 구체적으로 설명해
주는 역할을 해요.

> 바지, 가위, 안경과 같이 짝을 이루면서
> 분리될 수 없는 명사는 항상 복수형으로
> 써요. pants (○), pant (×)

Let's Check

▶정답 8쪽

A 글의 내용과 일치하도록 빈칸에 알맞은 것을 고르세요.

1. It is _____ day.

   ⓐ laundry   ⓑ camping   ⓒ picnic

2. Spot has Jack's _____.

   ⓐ shirt   ⓑ jacket   ⓒ sock

B 그림에 알맞은 문장을 연결하세요.

1.    •   • He has pink socks.

2.    •   • He has green pants.

3.    •   • Jack helps his mom.

Let's Practice 집중 연습

 A 그림에 알맞은 단어를 연결하세요.

1.

2.

3.

laundry

shirt

pants

B 그림에 알맞은 단어를 보기 에서 골라 문장을 완성하세요.

보기   black   jacket   pink

1.    She has _____ socks.

2.    He has a red _____.

C 그림에 알맞은 문장을 완성하세요.

1.

He has a _____ _____.

그는 검은색 셔츠가 있어.

2.

She has _____ _____.

그녀는 초록색 바지가 있어.

D 그림에 맞게 단어를 바르게 배열하여 문장을 쓰세요.

1.

(has / pants / green / He)

_____

그는 초록색 바지가 있어.

2.

(socks / has / She / pink)

_____

그녀는 분홍색 양말이 있어.

학교 연극

School Play

옷 ②

🎁 **재미있는 이야기로 오늘 읽을 글의 내용을 생각해 보세요.**

New Words 오늘 배울 단어를 듣고 써 보세요.

2 주

dress 드레스

skirt 치마

sweater 스웨터

clothes 옷

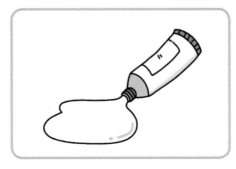

white 흰색

purple 보라색

School Play

Q 여자아이가 필요한 옷은 무엇일까요?

Ann needs some clothes for her school play.

But oh, no!

She doesn't have a white dress.

She doesn't have a purple skirt.

She doesn't have a yellow sweater.

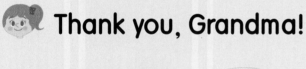 I can make the clothes for you.

Thank you, Grandma!

하루 구문

He/She doesn't have ~. 그/그녀는 ~가 없어.

주어가 He나 She와 같이 3인칭 단수인 경우의 일반동사 부정문이에요.
동사를 「doesn't+동사원형」의 형태로 쓰는데, 이때 doesn't는 does
not을 줄인 표현이에요.

주어가 3인칭 단수가 아닌 경우
일반동사의 부정문은 동사를
「don't+동사원형」의 형태로 써요.

Let's Check

▶정답 9쪽

 문장을 읽고 글의 내용과 일치하면 , 일치하지 않으면 에 동그라미 하세요.

1. Ann needs some clothes for her picnic.

2. Ann's grandma can make the clothes for Ann.

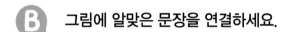 그림에 알맞은 문장을 연결하세요.

1.

She doesn't have a yellow sweater.

2.

I can make the clothes for you.

3.

She doesn't have a white dress.

Let's Practice 집중 연습

 그림에 알맞은 단어를 연결하세요.

1.

2.

3.

•   •   •

•   •   •

dress   skirt   sweater

B 그림에 알맞은 단어를 보기 에서 골라 문장을 완성하세요.

보기   white   clothes   purple

1.

She doesn't have a _____ dress.

2.

Ann needs some _____ for her school play.

C 그림에 알맞은 문장을 완성하세요.

1.

She _____ | _____ a skirt.

그녀는 치마가 없어.

2.

She _____ | _____ a dress.

그녀는 드레스가 없어.

D 그림에 맞게 단어나 어구를 바르게 배열하여 문장을 쓰세요.

1.

(doesn't / have / He / a yellow sweater)

_____

_____

그는 노란색 스웨터가 없어.

2.

(have / a purple skirt / doesn't / She)

_____

_____

그녀는 보라색 치마가 없어.

해변에서

여름 의복

At the Beach

🎁 **재미있는 이야기로 오늘 읽을 글의 내용을 생각해 보세요.**

New Words 오늘 배울 단어를 듣고 써 보세요.

5

swimsuit 수영복

sunglasses 선글라스

hat 모자

cap 야구 모자

wear 입다

sandcastle 모래성

At the Beach

Q 그림 속 아이들은 어떤 복장을 하고 있나요?

Kate and her friends are at the beach.

They are making a sandcastle.

Kate is wearing a swimsuit.

Sam is wearing a hat.

Jenny is wearing sunglasses.

Tom is wearing a cap.

They are having fun.

하루 구문

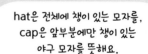
주어 **＋be동사＋wearing ~.** …는 ~를 입고/쓰고/신고 있어.

주어의 현재 옷차림을 설명하는 표현이에요. 옷뿐만 아니라 모자, 신발, 장갑, 목도리 등에도 쓰이며 현재진행형을 사용해요.

hat은 전체에 챙이 있는 모자를, cap은 앞부분에만 챙이 있는 야구 모자를 뜻해요.

Let's Check

▶정답 10쪽

A 글의 내용과 일치하도록 괄호 안에서 알맞은 것을 골라 동그라미 하세요.

1. Kate and her friends are at the (pool / beach).

2. Sam is wearing a (cap / hat).

B 그림에 알맞은 문장을 연결하세요.

1.

    Tom is wearing a cap.

2.

    Jenny is wearing sunglasses.

3.

    They are making a sandcastle.

Let's Practice 집중 연습

 그림에 알맞은 단어를 연결하세요.

1.

2.

3.

hat   swimsuit   sunglasses

 그림에 알맞은 단어를 보기 에서 골라 문장을 완성하세요.

보기   cap   wear   sandcastle

1.

Kate is _____ing a swimsuit.

2.

They are making a _____.

▶정답 10쪽

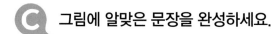

C 그림에 알맞은 문장을 완성하세요.

1.

Ann _____ a hat.

앤은 모자를 쓰고 있어.

2.

Ted _____ a cap.

테드는 야구 모자를 쓰고 있어.

D 그림에 맞게 단어나 어구를 바르게 배열하여 문장을 쓰세요.

1.

(sunglasses / is / Mia / wearing)

미아는 선글라스를 쓰고 있어.

2.

(wearing / a swimsuit / Amy / is)

에이미는 수영복을 입고 있어.

On a Cold Day

추운 날에

겨울 의복

📦 재미있는 이야기로 오늘 읽을 글의 내용을 생각해 보세요.

New Words 오늘 배울 단어나 어구를 듣고 써 보세요.

coat 코트

scarf 목도리

gloves 장갑

boots 부츠

put on 입다

outside 밖으로, 밖에

On a Cold Day

Q 아빠는 남자아이에게 무엇을 입으라고 말하고 있을까요?

Dad, look! It is snowing.

Let's make a snowman.

It is too cold outside.

Put on your coat.

Put on your scarf.

Put on your gloves.

Put on your boots.

OK. Now, you are ready to play.

하루 구문 ⭐

Put on your ~. ~를 입어.

상대방에게 옷을 입으라고 지시하는 표현으로 명령문이에요. 명령문은 주어 없이 동사원형으로 문장을 시작해요.

명령문의 앞이나 뒤에 please를 쓰면 공손한 표현이 돼요.

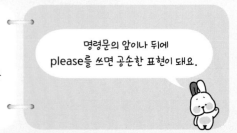

Let's Check

▶정답 11쪽

 글의 내용과 일치하도록 괄호 안에서 알맞은 것을 골라 동그라미 하세요.

1. It is (raining / snowing).

2. The boy wants to make a (robot / snowman).

B 그림에 알맞은 문장을 연결하세요.

1.  • • It is too cold outside.

2.  • • Put on your gloves.

3.  • • Put on your boots.

Level 2 A • **75**

Let's Practice 집중 연습

A 그림에 알맞은 단어나 어구를 연결하세요.

1.

2.

3.

scarf   put on   boots

B 그림에 알맞은 단어를 보기 에서 골라 문장을 완성하세요.

보기   gloves   outside   coat

1.

It is too cold _____ .

2.

Put on your _____ .

C 그림에 알맞은 문장을 완성하세요.

1.

your coat.

코트를 입어.

2.

your scarf.

목도리를 해.

D 그림에 맞게 단어나 어구를 바르게 배열하여 문장을 쓰세요.

1.

(your / Put on / boots)

부츠를 신어.

2.

(gloves / Put on / your)

장갑을 껴.

학교 밴드

School Band 1~4일 복습

📦 재미있는 이야기로 오늘 읽을 글의 내용을 생각해 보세요.

New Words　오늘 배울 단어를 듣고 써 보세요.

T-shirt 티셔츠

shorts 반바지

glasses 안경

shoes 신발

orange 주황색

brown 갈색

School Band

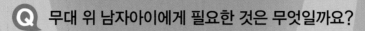

Q 무대 위 남자아이에게 필요한 것은 무엇일까요?

This is our school band.

Tony is the singer.

He is wearing an orange T-shirt and brown shorts.

He is wearing glasses.

Look at his feet!

Put on your shoes, Tony.

Oh, no! He doesn't have a mic.

하루 구문 복습!

He/She has (a/an) + 형용사 + 명사.
그/그녀는 …색 ~가 있어.

He/She doesn't have ~.
그/그녀는 ~가 없어.

주어 + be동사 + wearing ~.
…는 ~를 입고/쓰고/신고 있어.

Put on your ~.
~를 입어.

Let's Check

▶정답 12쪽

A 글의 내용과 일치하도록 빈칸에 알맞은 것을 고르세요.

1. The story is about the school _____.

   ⓐ play   ⓑ band   ⓒ teachers

2. Tony is the _____.

   ⓐ singer   ⓑ dancer   ⓒ painter

B 그림에 알맞은 문장을 연결하세요.

1.  •

   • Put on your shoes.

2.  •

   • He doesn't have a mic.

3.  •

   • He is wearing glasses.

Let's Practice 집중 연습

 그림에 알맞은 단어를 연결하세요.

1.

2.

3.

T-shirt

shorts

orange

B 그림에 알맞은 단어를 보기 에서 골라 문장을 완성하세요.

보기　glasses　　shoes　　brown

1.

He is wearing _____.

2.

Put on your _____.

▶정답 12쪽

C 그림에 알맞은 문장을 완성하세요.

1.

He _____ a mic.

그는 마이크가 없어.

2.

She _____ glasses.

그녀는 안경을 쓰고 있어.

D 그림에 맞게 단어나 어구를 바르게 배열하여 문장을 쓰세요.

1.

(wearing / He / brown shorts / is)

_____

그는 갈색 반바지를 입고 있어.

2.

(is / an orange T-shirt / She / wearing)

_____

그녀는 주황색 티셔츠를 입고 있어.

1 단어에 알맞은 그림을 고르세요.

pink

①    ②

③   ④

2 그림에 알맞은 단어를 고르세요.

① dress
② sweater
③ jacket
④ pants

3 우리말에 맞게 빈칸에 알맞은 것을 고르세요.

그녀는 보라색 치마가 없어.

She ＿＿＿＿＿ a purple skirt.

① has
② don't have
③ doesn't has
④ doesn't have

4 그림을 보고, 알맞은 문장의 기호를 쓰세요.

ⓐ She is wearing a hat.
ⓑ He has orange pants.
ⓒ Put on your shoes.

(1)   (2)

[5~6] 다음 글을 읽고, 물음에 답하세요.

Dad, look! It is snowing.

Let's make a snowman.

It is too cold outside.

Put on your coat.

Put on your scarf.

장갑을 끼렴.

Put on your boots.

OK. Now, you are ready to play.

5 윗글의 밑줄 친 우리말에 맞게 문장을 완성하세요.

_____ _____ your _____.

6 윗글에서 아빠가 남자아이에게 착용하라고 한 것이 <u>아닌</u> 것을 고르세요.

①   ②

③   ④

[7~8] 다음 글을 읽고, 물음에 답하세요.

This is our school band.

Tony is the singer.

He is <u>wear</u> an orange T-shirt and brown shorts.

He is <u>wear</u> glasses.

Look at his feet!

Put on your shoes, Tony.

Oh, no! He doesn't have a mic.

7 윗글의 밑줄 친 <u>wear</u>를 바르게 고쳐 쓰세요.

wear → _____

8 윗글의 내용과 일치하지 <u>않는</u> 것을 고르세요.

① 토니는 학교 밴드의 구성원이다.

② 토니는 주황색 티셔츠를 입고 있다.

③ 토니는 선글라스를 쓰고 있다.

④ 토니는 마이크가 없다.

🧩 배운 내용을 떠올리며 말판 놀이를 해 보세요.

START

1. 그림을 보고 알맞은 단어에 동그라미 하세요.
   shorts
   pants

2. 그림에 알맞은 단어를 완성하세요.
   p ⬜ rp ⬜ e

5. 그림과 단어가 일치하면 ○ 표, 일치하지 않으면 × 표 하세요.
   boots ⬜

4. 그림을 보고 알파벳을 바르게 배열하여 단어를 쓰세요.
   earwset → _____

3. 단어를 읽고 알맞은 우리말 뜻과 연결하세요.
   swimsuit ·   · 야구 모자
   cap ·   · 수영복

6. 문장을 읽고 알맞은 그림에 동그라미 하세요.

Sue is wearing sunglasses.

7. 우리말에 맞게 문장을 완성하세요.

그는 분홍색 양말이 있어.

He has _____ _____.

8. 우리말에 알맞은 문장에 ✔ 표 하세요.

그녀는 흰색 드레스가 없어.

She has a white dress. ☐

She doesn't have a white dress. ☐

9. 그림과 문장이 일치하면 ○ 표, 일치하지 않으면 ✕ 표 하세요.

Put on your shoes. ☐

10. 우리말에 맞게 단어나 어구를 바르게 배열하여 문장을 쓰세요.

그는 주황색 티셔츠를 입고 있어.

(is / an orange T-shirt / wearing / He)

→ _____

FINISH

A 레오가 물감을 섞고 있어요. 힌트 를 참고하여 빈칸에 알맞은 단어를 쓰세요.

1. red + yellow = _____

2. red + blue = _____

B 까오가 설명하는 단어를 완성하고 뜻을 쓰세요.

l로 시작하고 y로 끝나.
u의 양옆에 a와 n이 있어.
d와 y 사이에 r이 있어.

단어: [ ] [ ] [u] [ ] [d] [ ] [ ]

뜻: _____

C 레오가 토니를 찾고 있어요. 레오의 설명을 읽고 그림에서 토니를 찾아 동그라미 한 후,
문장을 완성하세요.

토니는 하얀색 티셔츠에 갈색 반바지를 입고 있어.
그리고 선글라스를 쓰고 있어.

Tony is wearing a _____ cap.

Step A

그림 단서를 보고 보기 에서 알맞은 단어를 골라 퍼즐을 완성하세요.

보기   shorts   brown   glasses   shoes

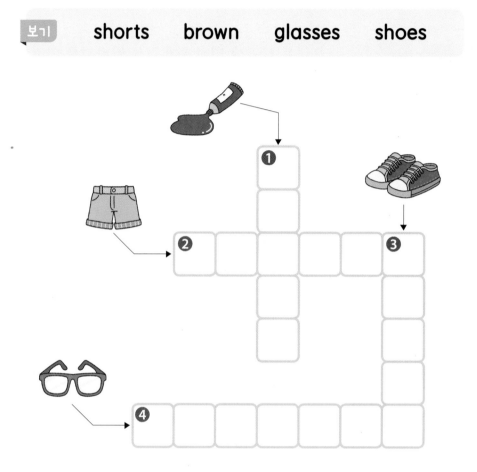

Step B

Step A 의 단어를 사용하여 글을 완성하세요.

This is our school band.

Tony is the singer.

He is wearing an orange

T-shirt and  _____

_____.

He is wearing 👓 _____.

Look at his feet!

👧 Put on your 👟 _____,

　　Tony.

Oh, no! He doesn't have a mic.

Step
C
단서 를 보고 암호를 풀어 문장을 쓰세요.

단서   ♥ = have   ★ = Put on   ♣ = doesn't   ◎ = shoes

1. ★ your ◎.

_____

신발을 신어.

2. He ♣ ♥ a mic.

_____

그는 마이크가 없어.

 창의 서술형

✎ 여러분의 학교 밴드를 소개하는 글을 완성하세요.

This is our school band.

_____ is the singer.

He/She is wearing a/an _____

_____ and _____ _____.

He/She is wearing

(a/an) _____.

3주에는 무엇을 공부할까? ①

재미있는 이야기로 이번 주에 공부할 내용을 알아보세요.

Feelings 감정

1일 Different Feelings **2**일 Jack, the Bird **3**일 Sam's Party

4일 A Math Test **5**일 I Am Sorry

◉ 여러분의 현재 감정에 동그라미 해 보세요.

I am ~. 나는 ~해.

happy

scared

angry

sad

excited

B

아, 배고파. 햄버거나 먹어 볼까?
목마르니까 콜라도 주문해야지.

내가 대신 주문할게.
너는 쉬고 있어.

웬일이야? 그래, 고마워.

까요집

배달이요 ~

미안하다,
레오야.

왜 이렇게 안 오지?

꼬르륵

◉ 친구의 현재 상태나 기분에 ✔ 표 해 보세요.

He/She feels ~. 그/그녀는 ~해.

tired

hungry

thirsty

sleepy

upset

똑똑한 하루

1일
Reading

여러 감정들

Different Feelings

감정·기분

📦 **재미있는 이야기로 오늘 읽을 글의 내용을 생각해 보세요.**

New Words   오늘 배울 단어를 듣고 써 보세요.

happy 행복한

scared 겁먹은, 무서운

angry 화난

sad 슬픈

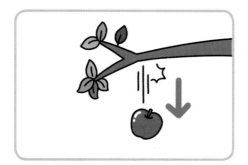

fall 떨어지다

ground 땅바닥, 지면

Different Feelings

Q 남자아이의 기분은 어떻게 바뀔까요?

On a sunny day, I eat strawberry ice cream.

I am happy.

A bee comes after me.

I am scared.

My ice cream falls to the ground.

I am angry.

And it is gone.

I am sad.

하루 구문

I am + 형용사. 나는 ~해.

나의 기분이나 감정을 말하는 표현이에요. be동사인 am 뒤에 기분이나
감정을 나타내는 형용사를 써요.

fall은 명사로 쓰이면
'가을'이라는 뜻이고, 동사로 쓰이면
'떨어지다'라는 뜻이에요.

Let's Check

▶정답 15쪽

A 문장을 읽고 글의 내용과 일치하면 , 일치하지 않으면 에 동그라미 하세요.

1. The boy comes after a bee.　　　

2. The boy's ice cream falls to the ground.　　　

B 그림에 알맞은 문장을 연결하세요.

1. 　　　　I am sad.

2. 　　　　I am happy.

3. 　　　　I eat strawberry ice cream.

Let's Practice 집중 연습

A 그림에 알맞은 단어를 연결하세요.

1.

•

•
happy

2.
•

•
ground

3.
•

•
scared

B 그림에 알맞은 단어를 보기에서 골라 문장을 완성하세요.

보기   angry   fall   sad

1.

I am _____ .

2.

My ice cream _____s to the ground.

▶정답 15쪽

C 그림에 알맞은 문장을 완성하세요.

1.

I   .

나는 행복해.

2.

I   .

나는 무서워.

D 그림에 맞게 단어를 바르게 배열하여 문장을 쓰세요.

1.

(am / angry / I)

나는 화나.

2.

(sad / I / am)

나는 슬퍼.

새, 잭

상태

Jack, the Bird

🎁 **재미있는 이야기로 오늘 읽을 글의 내용을 생각해 보세요.**

New Words 오늘 배울 단어를 듣고 써 보세요.

tired 피곤한

hungry 배고픈

thirsty 목마른

feel 느끼다

nest 둥지

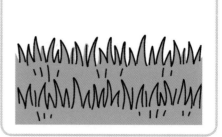

grass 풀

Jack, the Bird

Q 작은 새 잭의 상태는 어떻게 바뀔까요?

Jack is a small bird.

He flies all day long.

He feels tired.

He flies to his nest.

He feels hungry.

He flies to the grass.

He feels thirsty now.

Oh, good!

It is raining.

하루 구문

주어 **+ feel +** 형용사. …는 ~해.

주어의 현재 상태를 말하는 표현이에요. 주어의 상태는 be동사나
일반동사 feel 뒤에 형용사를 써서 나타낼 수 있어요.

주어가 3인칭 단수일 때 fly와 같이
「자음+y」로 끝나는 일반동사는
y를 i로 고치고 es를 붙여요.

Let's Check

▶ 정답 16쪽

A 문장을 읽고 글의 내용과 일치하면 , 일치하지 않으면 에 동그라미 하세요.

1. Jack is big.　　　　　　　　　　　　

2. Jack flies all day long.　　　　　　　

B 그림에 알맞은 문장을 연결하세요.

1.
　　　　　　•　　•　It is raining.

2.
　　　　　　•　　•　He feels tired.

3.
　　　　　　•　　•　He flies to the grass.

 A 그림에 알맞은 단어를 연결하세요.

1.

2.

3.

tired   hungry   thirsty

B 그림에 알맞은 단어를 보기 에서 골라 문장을 완성하세요.

보기   feel   grass   nest

1.

He flies to his _____.

2.

He flies to the _____.

C 그림에 알맞은 문장을 완성하세요.

1.

He _____ .

그는 피곤해.

2.

She _____ .

그녀는 배고파.

D 그림에 맞게 단어를 바르게 배열하여 문장을 쓰세요.

1.

(feels / He / thirsty)

_____

그는 목말라.

2.

(tired / feels / She)

_____

그녀는 피곤해.

똑똑한 하루

3일
Reading

샘의 파티

감정 표현

Sam's Party

📦 재미있는 이야기로 오늘 읽을 글의 내용을 생각해 보세요.

서준이 생일 파티에 아이들이 많이 있어.

덕구도 있네. 오늘은 제발 사고 치지 말아야 할 텐데.

다들 기분이 어때? 서준이는 행복해하고 있어?

응, 웃고 있어.

예나는 슬픈 거야?

응, 울고 있어.

까오는 화난 거야?

응, 소리 지르고 있어.

덕구야, 안 돼!

New Words 오늘 배울 단어를 듣고 써 보세요.

smile 미소 짓다

cry 울다

yell 소리 지르다

children 아이들

birthday 생일

party 파티

Sam's Party

Q 그림 속 아이들의 기분은 어떨까요?

Many children are at Sam's birthday party.

How are they feeling?

Is Sam happy?

Yes, he is. He is smiling.

Is Julie sad?

Yes, she is. She is crying.

Is Kate angry?

Yes, she is. She is yelling.

Be동사 + 주어 + 형용사? …는 ~하니?

주어의 기분이나 감정을 묻는 의문문이에요. be동사의 의문문은 주어와 be동사의 위치를 바꾸고 문장의 끝에 물음표를 붙여서 나타내요.

> be동사로 물을 때 맞으면 「Yes, 주어+be동사.」, 아니면 「No, 주어+be동사+not.」이라고 대답해요.

Let's Check

▶정답 17쪽

 A 글의 내용과 일치하도록 빈칸에 알맞은 것을 고르세요.

1. Sam is _____.

   ⓐ smiling   ⓑ crying   ⓒ yelling

2. Kate is _____.

   ⓐ happy   ⓑ sad   ⓒ angry

3
주

B 그림에 알맞은 문장을 연결하세요.

1.    Is Sam happy?

2.    She is crying.

3.    Many children are at
                                           Sam's birthday party.

Let's Practice 집중 연습

 A 그림에 알맞은 단어를 연결하세요.

1.

2.

3.

children ·

birthday

smile

B 그림에 알맞은 단어를 보기 에서 골라 문장을 완성하세요.

보기   party   yell   cry

1.

   She is _____ ing.

2.

   She is _____ ing.

C 그림에 알맞은 문장을 완성하세요.

1.

Sally ?

샐리는 행복하니?

2.

Tom ?

톰은 화났니?

D 그림에 맞게 단어를 바르게 배열하여 문장을 쓰세요.

1.

(sad / Jack / Is)

잭은 슬프니?

2.

(Ann / Is / angry)

앤은 화났니?

수학 시험 　　　　　感情·상태

A Math Test

🎁 **재미있는 이야기로 오늘 읽을 글의 내용을 생각해 보세요.**

New Words　오늘 배울 단어를 듣고 써 보세요.

sleepy 졸린

worried 걱정하는

excited 신난

wake 깨다, 일어나다

math 수학

test 시험

A Math Test

Q 그림 속 아이들은 어떤 감정이나 상태일까요?

We have a math test today.

The test is over.

Tom looks sleepy.

Kevin looks worried.

But look at this!

I feel so excited.

Jenny, wake up!
You have a math test today.

Oh, no!

하루 구문

주어 + **look** + 형용사. …는 ~해 보여.
주어의 감정이나 상태가 어떠해 보이는지 말하는 표현이에요. look 뒤에
감정이나 상태를 나타내는 형용사를 써요.

> so는 형용사 앞에 위치해서, '매우, 대단히, 아주'라는 뜻을 나타내요.

Let's Check

▶정답 18쪽

A 글의 내용과 일치하도록 괄호 안에서 알맞은 것을 골라 동그라미 하세요.

1. The students have a (math / Korean) test today.

2. Kevin looks (happy / worried).

3
주

B 그림에 알맞은 문장을 연결하세요.

1.

·
· I feel so excited.

2.

·
· Tom looks sleepy.

3.

·
· Wake up!

Let's Practice 집중 연습

A 그림에 알맞은 단어를 연결하세요.

1.

2.

3.

excited

test

sleepy

B 그림에 알맞은 단어를 보기 에서 골라 문장을 완성하세요.

보기   math   worried   wake

1.

We have a _____ test today.

2.

Jenny, _____ up!

▶정답 18쪽

C 그림에 알맞은 문장을 완성하세요.

1.

Kate _____ .

케이트는 졸려 보여.

2.

Tom _____ .

톰은 걱정 있어 보여.

D 그림에 맞게 단어를 바르게 배열하여 문장을 쓰세요.

1.

(looks / excited / Ted)

_____

테드는 신나 보여.

2.

(sleepy / Jack / looks)

_____

잭은 졸려 보여.

미안해
I Am Sorry 1~4일 복습

📦 재미있는 이야기로 오늘 읽을 글의 내용을 생각해 보세요.

New Words 오늘 배울 단어를 듣고 써 보세요.

robot 로봇

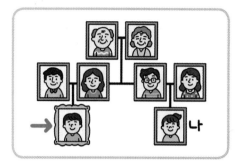

cousin 사촌

break 부수다, 고장내다

upset 속상한

shout 소리 지르다

puppy 강아지

I Am Sorry

Q 마지막에 여자아이는 어떤 기분일까요?

Amy can't find her favorite robot.

 I am sad.

Her cousin, Tommy, has a robot.

And he breaks it.

She feels upset.

So she shouts at him.

He looks scared.

Then, her puppy comes.

Look! That is your robot.

 하루 구문 복습!

I am + 형용사.
나는 ~해.

Be동사 + 주어 + 형용사**?**
…는 ~하니?

주어 + **feel** + 형용사.
…는 ~해.

주어 + **look** + 형용사.
…는 ~해 보여.

Let's Check

▶정답 19쪽

 문장을 읽고 글의 내용과 일치하면 **T**, 일치하지 않으면 **F**에 동그라미 하세요.

1. Tommy is Amy's cousin.

2. Tommy breaks Amy's robot.

3. Amy's puppy has her robot.

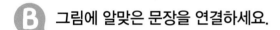 그림에 알맞은 문장을 연결하세요.

1.

She feels upset.

2.

She shouts at him.

3.

He looks scared.

Let's Practice 집중 연습

 그림에 알맞은 단어를 연결하세요.

1.

2.

3.

robot

puppy

upset

B 그림에 알맞은 단어를 보기 에서 골라 문장을 완성하세요.

보기   **break**   **shout**   **cousin**

1.

He _____s it.

2.

She _____s at him.

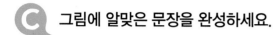

C 그림에 알맞은 문장을 완성하세요.

1.

He _____ .

그는 속상해.

2.

She _____ .

그녀는 겁이 나 보여.

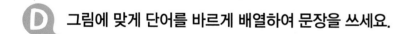

D 그림에 맞게 단어를 바르게 배열하여 문장을 쓰세요.

1.

(am / sad / I)

_____

나는 슬퍼.

2.

(scared / looks / He)

_____

그는 겁이 나 보여.

1 단어에 알맞은 그림을 고르세요.

angry

① ②

③ ④

2 그림에 알맞은 단어를 고르세요.

① hungry
② sleepy
③ excited
④ tired

3 우리말에 맞게 빈칸에 알맞은 것을 고르세요.

샘은 행복하니?
_____ Sam happy?

① Are
② Does
③ Do
④ Is

4 그림을 보고, 알맞은 문장의 기호를 쓰세요.

ⓐ I am happy.
ⓑ She feels thirsty.
ⓒ He looks worried.

(1)    (2)

[5~6] 다음 글을 읽고, 물음에 답하세요.

We have a math test today.

The test is over.

Tom looks sleepy.

Kevin looks worried.

But look at this!

I _____ so excited.

 Jenny, wake up!

You have a math test today.

 Oh, no!

[7~8] 다음 글을 읽고, 물음에 답하세요.

Amy can't find her favorite robot.

 I am sad.

Her cousin, Tommy, has a robot.

And he breaks it.

She feels upset.

So she shouts at him.

<u>그는 겁이 나 보여.</u>

Then, her puppy comes.

 Look! That is your robot.

5 윗글의 빈칸에 알맞은 것을 고르세요.

① are

② feel

③ do

④ is

7 윗글의 밑줄 친 우리말에 맞게 문장을 완성하세요.

He _____ _____.

6 윗글의 케빈의 상태를 나타낸 그림으로 알맞은 것을 고르세요.

① 　②

③ 　④

8 윗글의 내용과 일치하지 <u>않는</u> 것을 고르세요.

① 에이미는 좋아하는 로봇이 없어져서 슬퍼한다.

② 토미는 에이미의 사촌이다.

③ 에이미는 토미가 자신의 로봇을 고장냈다고 생각한다.

④ 토미의 강아지가 로봇을 가져온다.

창의 · 융합 · 코딩 **1**
Brain Game Zone

🧩 배운 내용을 떠올리며 말판 놀이를 해 보세요.

4. 그림을 보고 알파벳을 바르게 배열하여 단어를 쓰세요.

ugynrh

→ _____

5. 그림과 단어가 일치하면 ○ 표, 일치하지 않으면 × 표 하세요.

test ☐

3. 단어를 읽고 알맞은 우리말 뜻과 연결하세요.

feel ·   · 생일

birthday ·   · 느끼다

2. 그림에 알맞은 단어를 완성하세요.

☐ ra ☐ s

START

1. 그림을 보고 알맞은 단어에 동그라미 하세요.

fall   yell

6. 문장을 읽고 알맞은 그림에 동그라미 하세요.

I am sad.

7. 우리말에 맞게 문장을 완성하세요.

케이트는 목이 마르니?

_____ Kate _____ ?

8. 그림을 보고 알맞은 문장에 ✔ 표 하세요.

He feels tired.

He feels upset.

10. 우리말에 맞게 단어를 바르게 배열하여 문장을 쓰세요.

나는 행복해.

(happy / I / am)

→ _____

9. 그림과 문장이 일치하면 O 표, 일치하지 않으면 × 표 하세요.

He looks excited.

A 동물 친구들이 나무를 타고 내려와 단어에 알맞은 그림을 연결할 수 있도록 나무 사이에 가로선을 그어 보세요.

B 단서 를 보고 단어를 완성한 후, 색깔이 같은 네모 안의 알파벳을 모아 문장을 완성하세요. (같은 알파벳을 여러 번 쓸 수 있어요.)

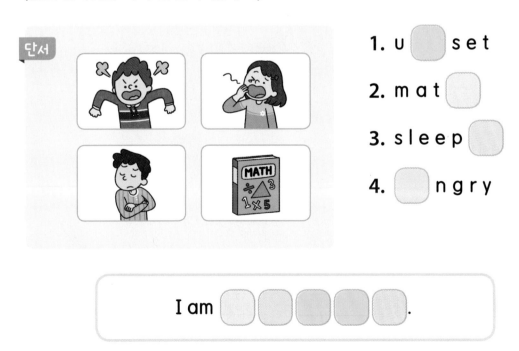

1. u ⬜ s e t
2. m a t ⬜
3. s l e e p ⬜
4. ⬜ n g r y

I am ⬜⬜⬜⬜⬜ .

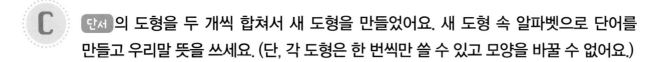

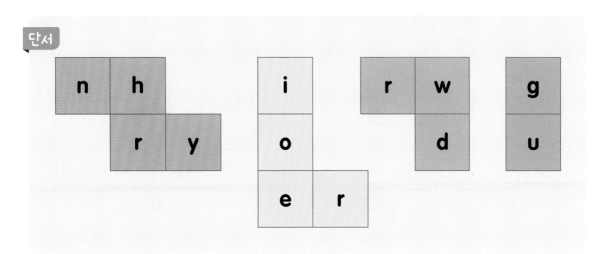

C 단서의 도형을 두 개씩 합쳐서 새 도형을 만들었어요. 새 도형 속 알파벳으로 단어를 만들고 우리말 뜻을 쓰세요. (단, 각 도형은 한 번씩만 쓸 수 있고 모양을 바꿀 수 없어요.)

단서

1.

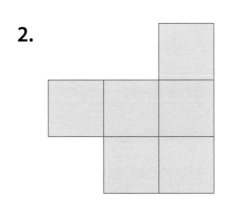

단어: _____

뜻: _____

2.

단어: _____

뜻: _____

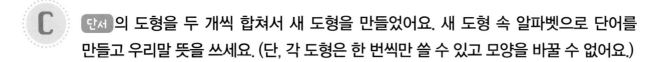

Step A

그림 단서를 보고 보기 에서 알맞은 단어를 골라 퍼즐을 완성하세요.

보기 shout upset cousin robot

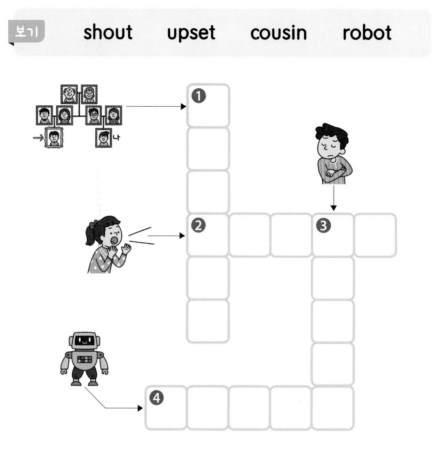

Step B

Step A 의 단어를 사용하여 글을 완성하세요.

Amy can't find her favorite
_____.

I am sad.

Her _____, Tommy, has
a robot. And he breaks it.

She feels _____.

So she _____s at him.

He looks scared.

Then, her puppy comes.

Look! That is your robot.

Step C

단서 를 보고 암호를 풀어 문장을 쓰세요.

단서   ♡ = sad   ▣ = scared   ◈ = looks   ♣ = am

1.   I ♣ ♡.

_____

_____

_____

나는 슬퍼.

2.   He ◈ ▣.

_____

_____

_____

그는 겁이 나 보여.

창의 서술형

✎ 여러분이 에이미라고 상상하며 글을 완성하세요.

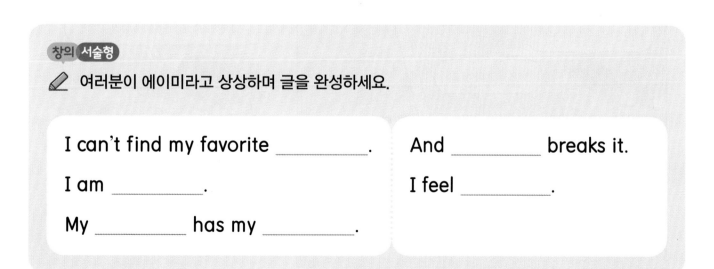

I can't find my favorite _____.   And _____ breaks it.

I am _____.   I feel _____.

My _____ has my _____.

4주에는 무엇을 공부할까? ❶

🎁 재미있는 이야기로 이번 주에 공부할 내용을 알아보세요.

Fun Time 여가 활동

1일 **I Like Sports**   **2**일 **Can You Ski?**   **3**일 **On Weekends**

4일 **Music Concert**   **5**일 **Let's Go Shopping**

4주에는 무엇을 공부할까? ②

◉ 친구에게 할 수 있는지 묻고 싶은 운동에 ✔ 표 해 보세요.

Can you ~? 너는 ~할 수 있니?

ski

skate

dive

skateboard

ride a bike

B

◉ 여러분의 가족이나 친구가 주말에 하는 활동에 동그라미 해 보세요.

She/He goes ~. 그녀/그는 ~하러 가.

camping

hiking

fishing

shopping

나는 운동을 좋아해

운동 ①

I Like Sports

🎁 **재미있는 이야기로 오늘 읽을 글의 내용을 생각해 보세요.**

New Words

오늘 배울 단어를 듣고 써 보세요.

soccer 축구

_____

baseball 야구

_____

basketball 농구

_____

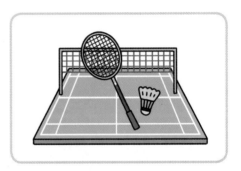

badminton 배드민턴

_____

win 이기다

_____

lose 지다

_____

I Like Sports

Q 여자아이는 어떤 운동을 좋아할까요?

I like to play sports.

I like to play soccer.
I like to play baseball.
I like to play basketball.
I like to play badminton.

Sometimes I win.
Sometimes I lose.
But it is okay.

하루 구문

I like to play + 운동 이름. 나는 ~하는 것을 좋아해.

내가 좋아하는 운동을 말하는 표현이에요. like to 뒤에 동사원형을 쓰면
'~하는 것을 좋아하다.'라는 의미가 돼요.

공으로 하는 운동을 '하다, 치다'라고
말할 때 대개 동사 play를 써요.

Let's Check

▶정답 22쪽

A 문장을 읽고 글의 내용과 일치하면 , 일치하지 않으면 에 동그라미 하세요.

1. The girl likes to play badminton.

2. The girl always wins.

B 그림에 알맞은 문장을 연결하세요.

1.  • • I like to play baseball.

2.  • • I like to play basketball.

3.  • • I like to play soccer.

Let's Practice 집중 연습

A 그림에 알맞은 단어를 연결하세요.

1.

•

2.

•

3.

•

•
soccer

•
baseball

•
basketball

B 그림에 알맞은 단어를 보기 에서 골라 문장을 완성하세요.

보기   win   badminton   lose

1.

Sometimes I _____ .

2.

I like to play _____ .

▶ 정답 22쪽

C 그림에 알맞은 문장을 완성하세요.

1.

I _____ baseball.

나는 야구 하는 것을 좋아해.

2.

I _____ soccer.

나는 축구 하는 것을 좋아해.

4
주

D 그림에 맞게 단어나 어구를 바르게 배열하여 문장을 쓰세요.

1.

(basketball / to play / I / like)

나는 농구 하는 것을 좋아해.

2.

(like / badminton / to play / I)

나는 배드민턴 치는 것을 좋아해.

너는 스키를 탈 수 있니?　　운동 ②

Can You Ski?

📦 **재미있는 이야기로 오늘 읽을 글의 내용을 생각해 보세요.**

New Words

오늘 배울 단어나 어구를 듣고 써 보세요.

ski 스키를 타다

skate 스케이트를 타다

dive 다이빙하다

skateboard 스케이트보드를 타다

ride a bike 자전거를 타다

fantastic 멋진, 환상적인

4주

Can You Ski?

Q 남자아이가 할 수 있는 운동과 못 하는 운동은 무엇일까요?

Can you ski?

No, I can't.

Can you skate?

No, I can't.

Can you dive?

No, I can't.

Can you skateboard?

No, I can't.

Can you ride a bike?

Yes, I can!

Look! I can do this.

Wow, fantastic!

하루 구문

Can you + 동사원형? 너는 ~할 수 있니?

상대방이 어떤 것을 할 수 있는지 묻는 표현이에요. 조동사 can의 의문문은
조동사를 문장 맨 앞에 쓰고 그 뒤에 주어와 동사원형을 써요.

「Can you ~?」로 물을 때
할 수 있으면 「Yes, I can.」, 못 하면
「No, I can't.」라고 대답해요.

Let's Check

▶정답 23쪽

 문장을 읽고 글의 내용과 일치하면 , 일치하지 않으면 에 동그라미 하세요.

1. The boy can't skateboard.

2. The boy can't ride a bike. T F

 그림에 알맞은 문장을 연결하세요.

1.    I can do this.

2.    Can you ski?

3.    Can you skate?

Let's Practice 집중 연습

A 그림에 알맞은 단어를 연결하세요.

1.

2.

3.

·   ·   ·

·   ·   ·

ski   skate   dive

B 그림에 알맞은 단어나 어구를 보기 에서 골라 문장을 완성하세요.

보기   fantastic   skateboard   ride a bike

1.

Can you _____ ?

2.

Can you _____ ?

▶정답 23쪽

C 그림에 알맞은 문장을 완성하세요.

1.

ski?

너는 스키를 탈 수 있니?

2.

skate?

너는 스케이트를 탈 수 있니?

D 그림에 맞게 단어나 어구를 바르게 배열하여 문장을 쓰세요.

1.

(you / dive / Can)

너는 다이빙할 수 있니?

2.

(you / Can / ride a bike)

너는 자전거를 탈 수 있니?

On Weekends

주말에

여가 활동

🎁 **재미있는 이야기로 오늘 읽을 글의 내용을 생각해 보세요.**

New Words

오늘 배울 단어나 어구를 듣고 써 보세요.

go camping 캠핑 가다

tent 텐트

4
주

go hiking 하이킹 가다

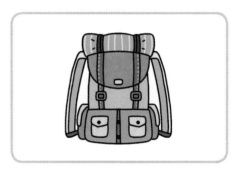

backpack 배낭

go fishing 낚시하러 가다

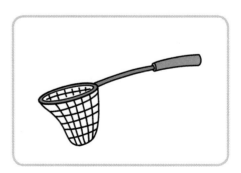

net 그물, 뜰채

On Weekends

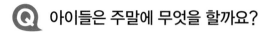

Q 아이들은 주말에 무엇을 할까요?

Sally and her friends have fun on weekends.

Sally goes camping.

This is her tent.

Tom goes hiking.

This is his backpack.

Amy goes fishing.

This is her net.

What do you do on weekends?

하루 구문

주어 + go + 동사원형ing. ···는 ~하러 가.

주어가 어떤 활동을 하러 가는지 말하는 표현이에요. 동사 go 뒤에 「동사원형ing」가 오면 '~하러 가다'라는 의미를 나타내요.

> fish는 명사로 쓰이면 '물고기, 생선'이라는 뜻이고, 동사로 쓰이면 '낚시하다'라는 뜻이에요.

Let's Check

▶정답 24쪽

 문장을 읽고 글의 내용과 일치하면 , 일치하지 않으면 에 동그라미 하세요.

1. Tom goes hiking on weekends.

2. Amy doesn't go fishing.

 그림에 알맞은 문장을 연결하세요.

1.  • • Sally goes camping.

2.  • • This is his backpack.

3.  • • This is her net.

Let's Practice 집중 연습

A 그림에 알맞은 단어나 어구를 연결하세요.

1.

2.

3.

go camping

backpack

go fishing

B 그림에 알맞은 단어나 어구를 보기 에서 골라 문장을 완성하세요.

보기   tent   go hiking   net

1.

This is her _____.

2.

This is her _____.

▶정답 24쪽

C 그림에 알맞은 문장을 완성하세요.

1.

Emma _____ .

엠마는 낚시하러 가.

2.

Jason _____ .

제이슨은 하이킹하러 가.

D 그림에 맞게 단어를 바르게 배열하여 문장을 쓰세요.

1.

(camping / goes / Jack)

_____

잭은 캠핑하러 가.

2.

(goes / Jenny / hiking)

_____

제니는 하이킹하러 가.

음악 연주회

악기

Music Concert

📦 **재미있는 이야기로 오늘 읽을 글의 내용을 생각해 보세요.**

New Words 　 오늘 배울 단어를 듣고 써 보세요.

7

piano 피아노

violin 바이올린

guitar 기타

drums 드럼

concert 콘서트, 연주회

music 음악

4
주

Music Concert

Q 아이들이 연주하는 악기는 무엇일까요?

Do you like music?
We have a concert tonight.

Julie plays the piano.
Tom plays the violin.
Kate plays the guitar.
I play the drums.

Come to the park at 7 p.m.
You can enjoy the beautiful music.

하루 구문

주어 + play the + 악기 이름. ···는 ~를 연주해.

어떤 악기를 연주하는지 말하는 표현이에요. 이때 play는 '연주하다'라는 뜻의 동사로 쓰였으며, 악기 이름 앞에는 the를 쓴다는 것에 주의해야 해요.

주어가 3인칭 단수일 때 play와 같이 「모음+y」로 끝나는 일반동사는 끝에 s를 붙여요.

Let's Check

▶ 정답 25쪽

 문장을 읽고 글의 내용과 일치하면 , 일치하지 않으면 에 동그라미 하세요.

1. Kate plays the drums.

2. The concert starts at 7 p.m.

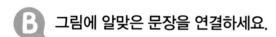 그림에 알맞은 문장을 연결하세요.

1.    •   • Julie plays the piano.

2.    •   • Tom plays the violin.

3.    •   • We have a concert tonight.

Let's Practice 집중 연습

 그림에 알맞은 단어를 연결하세요.

1.

2.

3.

•

•

•

•

•

•

guitar

piano

violin

B 그림에 알맞은 단어를 보기에서 골라 문장을 완성하세요.

보기   concert   music   drums

1.

We have a _____ tonight.

2.

I play the _____ .

▶정답 25쪽

C 그림에 알맞은 문장을 완성하세요.

1.

Amy _____ .

에이미는 피아노를 연주해.

2.

Peter _____ .

피터는 바이올린을 연주해.

D 그림에 맞게 단어나 어구를 바르게 배열하여 문장을 쓰세요.

1.

(the guitar / plays / Sally)

샐리는 기타를 연주해.

2.

(plays / Tony / the drums)

토니는 드럼을 연주해.

쇼핑하러 가자
Let's Go Shopping

📦 재미있는 이야기로 오늘 읽을 글의 내용을 생각해 보세요.

New Words 오늘 배울 단어나 어구를 듣고 써 보세요.

tennis 테니스

hockey 하키

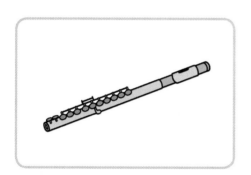

flute 플루트

cello 첼로

go shopping 쇼핑하러 가다

new 새로 산, 새

Let's Go Shopping

Q 코끼리가 할 수 있는 운동과 악기는 무엇일까요?

 Can you play tennis?

 Yes. I like to play tennis.

I can play hockey, too.

Oh, sorry!

 Can you play the flute?

 No, but I can play the cello.

Oh, no!

We need a new cello.

Let's go shopping.

하루 구문 복습!

I like to play + 운동 이름.
나는 ~하는 것을 좋아해.

주어 + go + 동사원형ing.
…는 ~하러 가.

Can you + 동사원형?
너는 ~할 수 있니?

주어 + play the + 악기 이름.
…는 ~를 연주해.

Let's Check

▶ 정답 26쪽

 글의 내용과 일치하도록 괄호 안에서 알맞은 것을 골라 동그라미 하세요.

1. The elephant likes to play (soccer / tennis).

2. The elephant can't play the (flute / guitar).

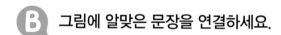 그림에 알맞은 문장을 연결하세요.

1.

We need a new cello.

2.

Can you play the flute?

3.

I can play hockey.

Let's Practice 집중 연습

 그림에 알맞은 단어를 연결하세요.

1.

2.

3.

hockey   flute   cello

B 그림에 알맞은 단어나 어구를 보기 에서 골라 문장을 완성하세요.

보기   go shopping   new   tennis

1.

Let's _____ .

2.

Can you play _____ ?

▶정답 26쪽

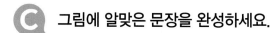 그림에 알맞은 문장을 완성하세요.

1.

I _____ _____ _____ tennis.

나는 테니스 치는 것을 좋아해.

2.

Let's _____ _____ .

쇼핑하러 가자.

 그림에 맞게 단어나 어구를 바르게 배열하여 문장을 쓰세요.

1.

(you / the flute / Can / play)

_____

너는 플루트를 연주할 수 있니?

2.

(the cello / can / I / play)

_____

나는 첼로를 연주할 수 있어.

1 단어에 알맞은 그림을 고르세요.

soccer

①

②

③

④

2 그림에 알맞은 단어를 고르세요.

① ski
② dive
③ skate
④ skateboard

3 우리말에 맞게 빈칸에 알맞은 것을 고르세요.

나는 배드민턴 치는 것을 좋아해.
I ＿＿＿＿＿＿＿＿＿＿ play badminton.

① like
② don't like
③ likes
④ like to

4 그림을 보고, 알맞은 문장의 기호를 쓰세요.

ⓐ She goes camping.
ⓑ Julie plays the piano.
ⓒ Can you ride a bike?

(1)

(2)

[5~6] 다음 글을 읽고, 물음에 답하세요.

> Sally and her friends have fun on weekends.
>
> Sally goes camping.
> This is her tent.
> Tom goes hiking.
> This is his backpack.
> <u>에이미는 낚시하러 가.</u>
> This is her net.
>
> What do you do on weekends?

5 윗글의 밑줄 친 우리말에 맞게 문장을 완성하세요.

> Amy _____ _____.

6 윗글의 주제로 알맞은 것을 고르세요.

① 주말에 하는 여가 활동
② 낚시의 즐거움
③ 좋은 텐트를 고르는 방법
④ 하이킹하기에 좋은 산

[7~8] 다음 글을 읽고, 물음에 답하세요.

> Do you like music?
> We have a concert tonight.
>
> Julie plays the piano.
> Tom plays the violin.
> Kate (the / plays / guitar).
> I play the drums.
>
> Come to the park at 7 p.m.
> You can enjoy the beautiful music.

7 윗글의 괄호 안의 단어를 바르게 배열하여 문장을 완성하세요.

> Kate _____ _____ _____.

8 윗글에 소개된 악기가 <u>아닌</u> 것을 고르세요.

①   ②

③   ④

배운 내용을 떠올리며 말판 놀이를 해 보세요.

START

1. 그림을 보고 알맞은 단어에 동그라미 하세요.

baseball   basketball

7. 그림과 문장이 일치하면 ○ 표, 일치하지 않으면 ✕ 표 하세요.

Tom plays the violin.

6. 문장을 읽고 알맞은 그림에 동그라미 하세요.

Can you play the flute?

8. 그림을 보고 알맞은 문장에 ✔ 표 하세요.

Can you ski?

Can you dive?

9. 괄호 안에서 알맞은 것을 골라 동그라미 하세요.

Tom goes (hiking / hikes).

2. 그림에 알맞은 단어를 완성하세요.

gu ☐ ta ☐

3. 단어를 읽고 알맞은 우리말 뜻과 연결하세요.

tennis •

new •

• 새로 산, 새

• 테니스

4. 그림을 보고 알파벳을 바르게 배열하여 단어를 쓰세요.

cekyoh → _____

5. 그림과 단어가 일치하면 ○ 표, 일치하지 않으면 × 표 하세요.

badminton ☐

10. 우리말에 맞게 단어나 어구를 바르게 배열하여 문장을 쓰세요.

나는 축구 하는 것을 좋아해.

(like / soccer / to play / I)

→ _____

FINISH

A 로봇이 말하는 알파벳을 순서대로 빙고판에 표시하여 한 줄 빙고를 만든 후, 단어를 쓰세요.

b	w	c	f	p
z	e	h	i	s
k	x	a	v	g
j	n	q	l	r
o	y	u	m	t

i ⇨ b ⇨ o ⇨ e ⇨ p ⇨ n ⇨ g ⇨ r ⇨ a

단어: ☐ ☐ ☐ ☐ ☐

B 끝말잇기로 모든 기차 칸의 단어를 완성한 후, 마지막 단어를 쓰세요.

tent

enni

kateboar

rum

_ki

마지막 단어: _____

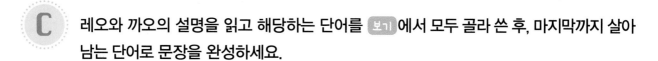

C 레오와 까오의 설명을 읽고 해당하는 단어를 보기 에서 모두 골라 쓴 후, 마지막까지 살아
남는 단어로 문장을 완성하세요.

보기   soccer   baseball   basketball   hockey

공을 이용한
운동이야.

단어

어딘가에 공을
넣어야 해.

단어

한 팀의 선수는
9명 이상이야.

단어

손을 사용해서
득점할 수 없어.

단어

I like to play _____.

Step
A
그림 단서를 보고 [보기]에서 알맞은 단어나 어구를 골라 퍼즐을 완성하세요.

[보기]   go shopping   tennis   new   cello

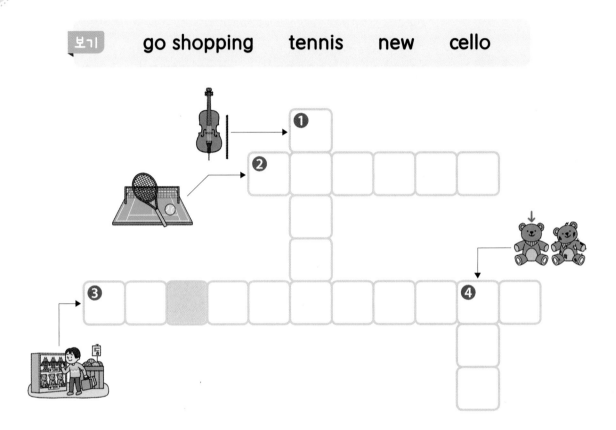

Step
B
Step A 의 단어나 어구를 사용하여 글을 완성하세요.

🐊 Can you play _____?

🐘 Yes. I like to play

_____.

I can play hockey, too.

Oh, sorry.

🐊 Can you play the flute?

🐘 No, but I can play the

_____. Oh, no!

We need a _____

_____.

Let's _____.

Step C

단서 를 보고 암호를 풀어 문장을 쓰세요.

단서 ◆ = play ◑ = shopping ♤ = Can ▽ = go

1. ♤ you ◆ tennis?

너는 테니스를 칠 수 있니?

2. Let's ▽ ◑.

쇼핑하러 가자.

4주

창의 서술형

✏️ 여러분이 코끼리라고 상상하며 대화를 완성하세요.

 Can you play badminton?

 Yes. I like to play

_____.

I can play _____, too.

 Can you play the violin?

 No, but I can play the

_____.

1주 1일

- [ ] spring 봄
- [ ] warm 따뜻한
- [ ] summer 여름
- [ ] hot 더운
- [ ] fall 가을
- [ ] cool 시원한
- [ ] winter 겨울
- [ ] cold 추운

1주 2일

- [ ] sunny 화창한, 맑은
- [ ] rainy 비가 오는
- [ ] windy 바람이 부는
- [ ] snowy 눈이 오는
- [ ] weather 날씨
- [ ] snowman 눈사람

1주 3일

- [ ] blue 파란색
- [ ] red 빨간색
- [ ] yellow 노란색
- [ ] green 초록색
- [ ] flower 꽃
- [ ] leaf 나뭇잎

1주 4일

- [ ] work 일하다
- [ ] plant 심다
- [ ] water 물 주다
- [ ] pick 따다
- [ ] tree 나무
- [ ] tomato 토마토

1주 5일

- [ ] sun 해, 태양
- [ ] moon 달
- [ ] star 별
- [ ] mountain 산
- [ ] bright 밝은, 환한
- [ ] dark 어두운

2주 1일

- [ ] shirt
  셔츠
- [ ] jacket
  재킷
- [ ] pants
  바지
- [ ] laundry
  빨래, 세탁
- [ ] black
  검은색
- [ ] pink
  분홍색

2주 2일

- [ ] dress
  드레스
- [ ] skirt
  치마
- [ ] sweater
  스웨터
- [ ] clothes
  옷
- [ ] white
  흰색
- [ ] purple
  보라색

2주 3일

- [ ] swimsuit
  수영복
- [ ] sunglasses
  선글라스
- [ ] hat
  모자
- [ ] cap
  야구 모자
- [ ] wear
  입다
- [ ] sandcastle
  모래성

2주 4일

- [ ] coat
  코트
- [ ] scarf
  목도리
- [ ] gloves
  장갑
- [ ] boots
  부츠
- [ ] put on
  입다
- [ ] outside
  밖으로, 밖에

2주 5일

- [ ] T-shirt
  티셔츠
- [ ] shorts
  반바지
- [ ] glasses
  안경
- [ ] shoes
  신발
- [ ] orange
  주황색
- [ ] brown
  갈색

Words List

3주 1일

☐ **happy** 행복한	☐ **scared** 겁먹은, 무서운
☐ **angry** 화난	☐ **sad** 슬픈
☐ **fall** 떨어지다	☐ **ground** 땅바닥, 지면

3주 2일

☐ **tired** 피곤한	☐ **hungry** 배고픈
☐ **thirsty** 목마른	☐ **feel** 느끼다
☐ **nest** 둥지	☐ **grass** 풀

3주 3일

☐ **smile** 미소 짓다	☐ **cry** 울다
☐ **yell** 소리 지르다	☐ **children** 아이들
☐ **birthday** 생일	☐ **party** 파티

3주 4일

☐ **sleepy** 졸린	☐ **worried** 걱정하는
☐ **excited** 신난	☐ **wake** 깨다, 일어나다
☐ **math** 수학	☐ **test** 시험

3주 5일

☐ **robot** 로봇	☐ **cousin** 사촌
☐ **break** 부수다, 고장내다	☐ **upset** 속상한
☐ **shout** 소리 지르다	☐ **puppy** 강아지

4주 1일

- [ ] **soccer**
축구
- [ ] **baseball**
야구
- [ ] **basketball**
농구
- [ ] **badminton**
배드민턴
- [ ] **win**
이기다
- [ ] **lose**
지다

4주 2일

- [ ] **ski**
스키를 타다
- [ ] **skate**
스케이트를 타다
- [ ] **dive**
다이빙하다
- [ ] **skateboard**
스케이트보드를 타다
- [ ] **ride a bike**
자전거를 타다
- [ ] **fantastic**
멋진, 환상적인

4주 3일

- [ ] **go camping**
캠핑 가다
- [ ] **tent**
텐트
- [ ] **go hiking**
하이킹 가다
- [ ] **backpack**
배낭
- [ ] **go fishing**
낚시하러 가다
- [ ] **net**
그물, 뜰채

4주 4일

- [ ] **piano**
피아노
- [ ] **violin**
바이올린
- [ ] **guitar**
기타
- [ ] **drums**
드럼
- [ ] **concert**
콘서트, 연주회
- [ ] **music**
음악

4주 5일

- [ ] **tennis**
테니스
- [ ] **hockey**
하키
- [ ] **flute**
플루트
- [ ] **cello**
첼로
- [ ] **go shopping**
쇼핑하러 가다
- [ ] **new**
새로 산, 새

memo

나보다 시작이 나은 선수들이 있겠지만,
나는 끝이 강한 선수다.

There are better starters than me but I'm a strong finisher.

우사인 볼트 Usain Bolt · 자메이카의 육상 선수

뭘 좋아할지 몰라 다 준비했어♥
전과목 교재

전과목 시리즈 교재

●무등생 해법시리즈

– 국어/수학	1~6학년, 학기용
– 사회/과학	3~6학년, 학기용
– SET(전과목/국수, 국사과)	1~6학년, 학기용

●똑똑한 하루 시리즈

– 똑똑한 하루 독해	예비초~6학년, 총 14권
– 똑똑한 하루 글쓰기	예비초~6학년, 총 14권
– 똑똑한 하루 어휘	예비초~6학년, 총 14권
– 똑똑한 하루 한자	예비초~6학년, 총 14권
– 똑똑한 하루 수학	1~6학년, 총 12권
– 똑똑한 하루 계산	예비초~6학년, 총 14권
– 똑똑한 하루 도형	예비초~6학년, 총 8권
– 똑똑한 하루 Voca	3~6학년, 학기용
– 똑똑한 하루 Reading	초3~초6, 학기용
– 똑똑한 하루 Grammar	초3~초6, 학기용
– 똑똑한 하루 Phonics	예비초~초등, 총 8권

●독해가 힘이다 시리즈

– 초등 수학도 독해가 힘이다	1~6학년, 학기용
– 초등 문해력 독해가 힘이다 문장제수학편	1~6학년, 총 12권
– 초등 문해력 독해가 힘이다 비문학편	3~6학년, 총 8권

영어 교재

●초등영어 교과서 시리즈

파닉스(1~4단계)	3~6학년, 학년용
영단어(1~4단계)	3~6학년, 학년용
●LOOK BOOK 영단어	3~6학년, 단행본
●원서 읽는 LOOK BOOK 영단어	3~6학년, 단행본

국가수준 시험 대비 교재

●해법 기초학력 진단평가 문제집	2~6학년·중1 신입생, 총 6권

똑똑한

하루
Reading

정답 ✧

매일매일
쌓이는
영어 기초력

4학년 영어
2A

천재교육

book.chunjae.co.kr

1주
1일

1일 Reading

Four Seasons 사계절

Q 계절마다 온도는 어떻게 다를까요?
봄-따뜻함, 여름-더움, 가을-시원함, 겨울-추움

It is warm in spring. 봄에는 따뜻해.
We can go on a picnic. 우리는 소풍을 갈 수 있어.

It is hot in summer. 여름에는 더워.
We can go to the beach. 우리는 바닷가에 갈 수 있어.

It is cool in fall. 가을에는 시원해.
We can go for a bike ride. 우리는 자전거 타러 갈 수 있어.

It is cold in winter. 겨울에는 추워.
We can play on the ice. 우리는 얼음 위에서 놀 수 있어.

하루 구문

It is + 온도 + in + 계절. …에는 ~해.
계절의 온도를 말하는 표현이에요. 이때 It은 '그것'이라고 해석하지
않아요. 그리고 계절을 나타내는 단어 앞에는 in을 써요.

영국식 '가을'은 autumn이라고도 해요.
fall은 주로 미국식 영어에서, autumn은
주로 영국식 영어에서 써요.

14 • 똑똑한 하루 Reading

Let's Check

▶ 정답 1쪽

A 글의 내용과 일치하도록 빈칸에 알맞은 것을 고르세요.

1. In summer, we can go _____.
ⓐ on a picnic　ⓑ to the beach　ⓒ for a bike ride

2. In _____, we can play on the ice.
ⓐ spring　ⓑ summer　ⓒ winter

B 그림에 알맞은 문장을 연결하세요.

1. — It is warm in spring.
2. — It is cool in fall.
3. — It is hot in summer.

Level 2 A • 15

1일 Reading

Let's Practice 집중 연습

▶ 정답 1쪽

A 그림에 알맞은 단어를 연결하세요.

1. 　2. 　3.

summer　spring　winter

B 그림에 알맞은 단어를 보기 에서 골라 문장을 완성하세요.

보기　hot　cool　cold

1. It is **cool** in fall.

2. It is **cold** in winter.

C 그림에 알맞은 문장을 완성하세요.

1. It is warm in spring.
봄에는 따뜻해.

2. It is hot in summer.
여름에는 더워.

D 그림에 맞게 단어나 어구를 바르게 배열하여 문장을 쓰세요.

1. (in winter / cold / is / It)
It is cold in winter.
겨울에는 추워.

2. (is / warm / in spring / It)
It is warm in spring.
봄에는 따뜻해.

16 • 똑똑한 하루 Reading

Level 2 A • 17

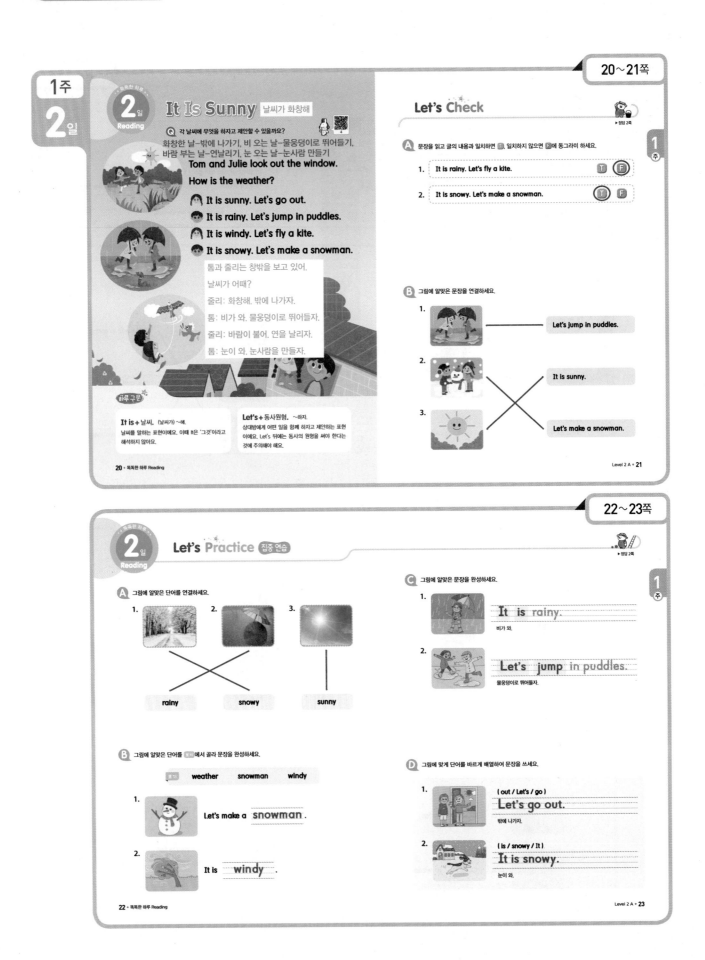

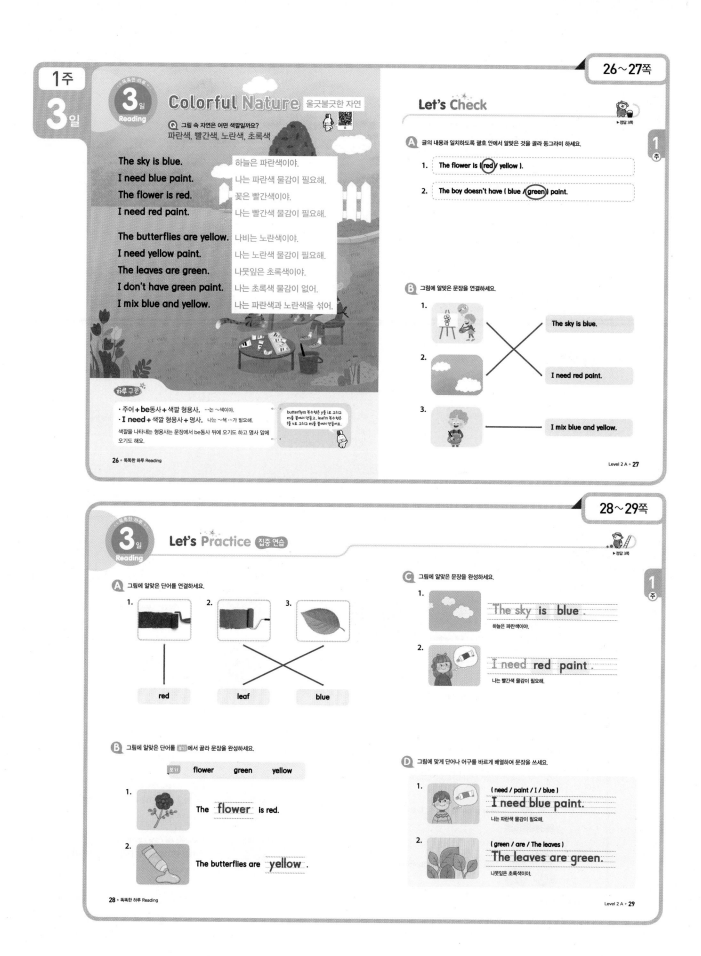

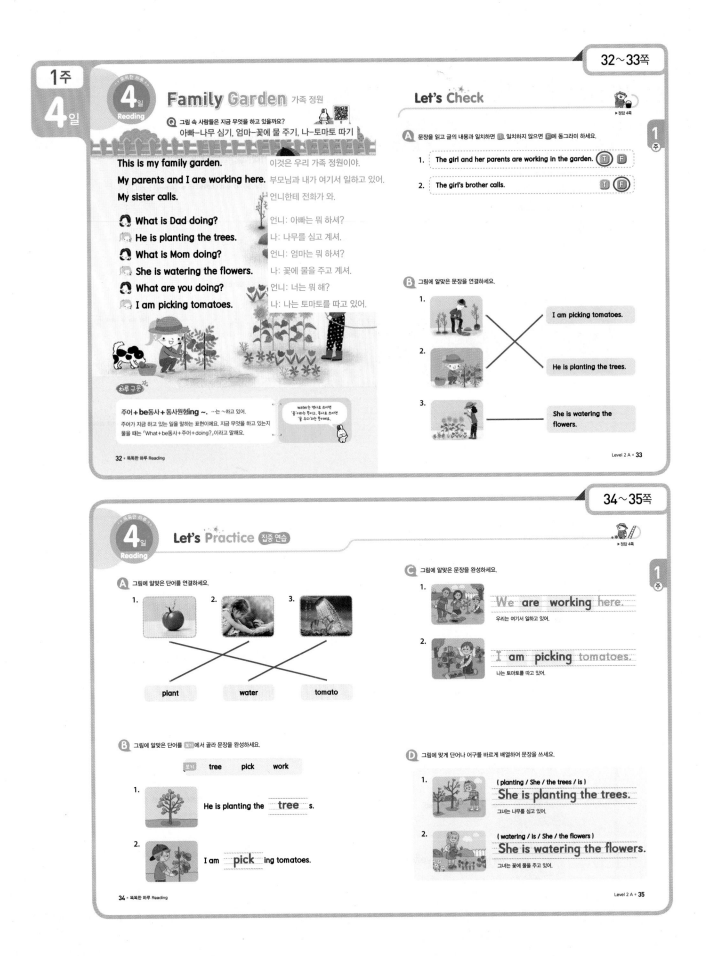

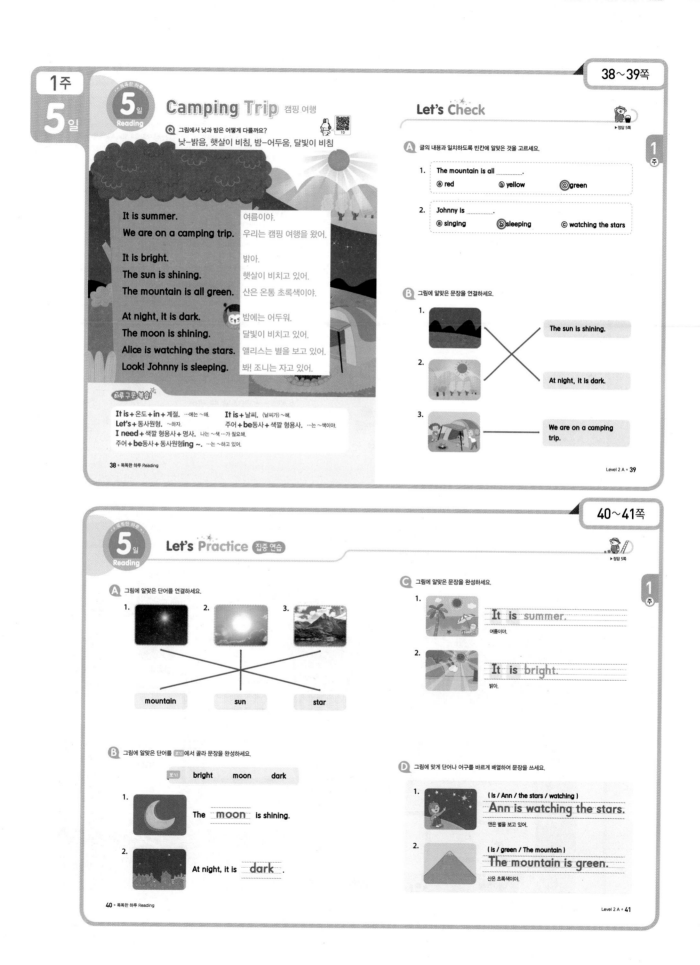

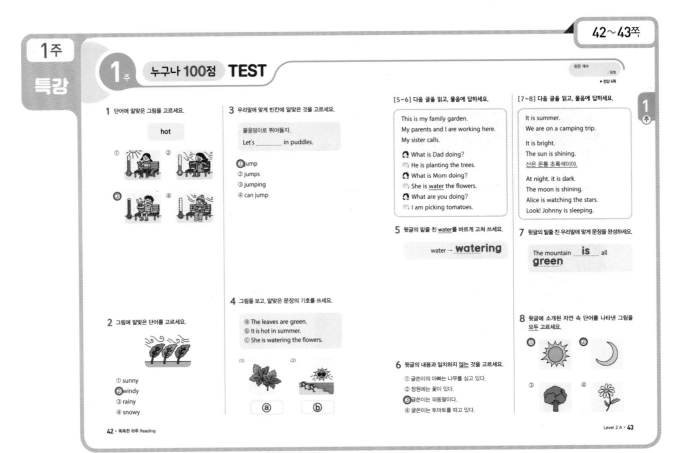

1주 특강

1주 누구나 100점 TEST

맞은 개수 /8개
▶정답 6쪽

1 단어에 알맞은 그림을 고르세요.

hot

① ② ③ ④

2 그림에 알맞은 단어를 고르세요.

① sunny
② windy
③ rainy
④ snowy

3 우리말에 맞게 빈칸에 알맞은 것을 고르세요.

물웅덩이로 뛰어들자.
Let's _____ in puddles.

① jump
② jumps
③ jumping
④ can jump

4 그림을 보고, 알맞은 문장의 기호를 쓰세요.

ⓐ The leaves are green.
ⓑ It is hot in summer.
ⓒ She is watering the flowers.

(1) ⓐ (2) ⓑ

[5~6] 다음 글을 읽고, 물음에 답하세요.

This is my family garden.
My parents and I are working here.
My sister calls.

What is Dad doing?
He is planting the trees.
What is Mom doing?
She is water the flowers.
What are you doing?
I am picking tomatoes.

5 윗글의 밑줄 친 water를 바르게 고쳐 쓰세요.

water → **watering**

6 윗글의 내용과 일치하지 않는 것을 고르세요.

① 글쓴이의 아빠는 나무를 심고 있다.
② 정원에는 꽃이 있다.
③ 글쓴이는 외동딸이다.
④ 글쓴이는 토마토를 따고 있다.

[7~8] 다음 글을 읽고, 물음에 답하세요.

It is summer.
We are on a camping trip.
It is bright.
The sun is shining.
산은 온통 초록색이야.

At night, it is dark.
The moon is shining.
Alice is watching the stars.
Look! Johnny is sleeping.

7 윗글의 밑줄 친 우리말에 맞게 문장을 완성하세요.

The mountain **is** all **green**

8 윗글에 소개된 자연 속 단어를 나타낸 그림을 모두 고르세요.

① ② ③ ④

Level 2 A • **43**

42 • 똑똑한 하루 Reading

1주 특강 창의·융합·코딩 ❶ Brain Game Zone

정답 6쪽

배운 내용을 떠올리며 말판 놀이를 해 보세요.

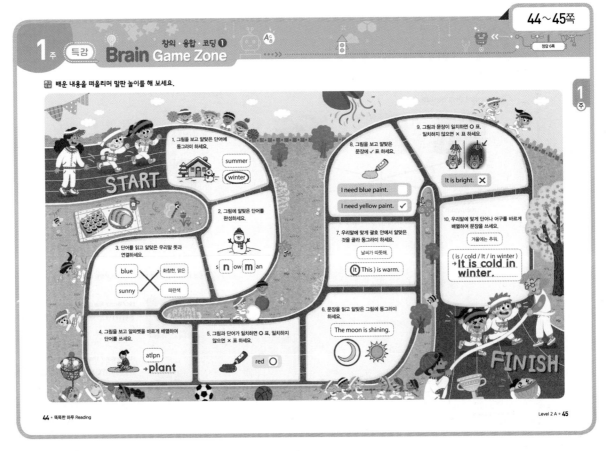

44 • 똑똑한 하루 Reading

Level 2 A • **45**

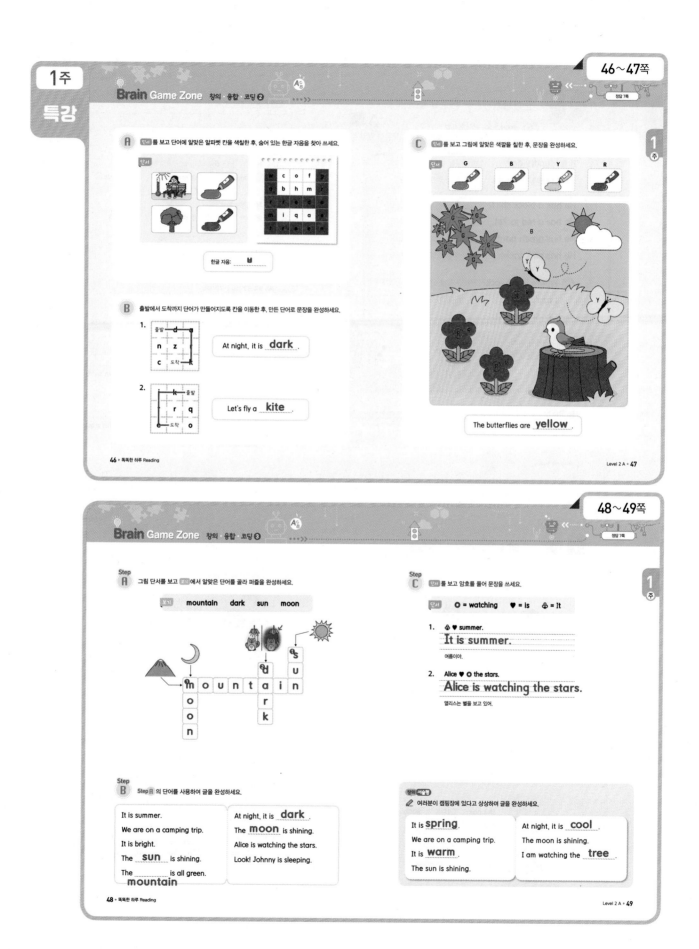

Brain Game Zone 창의·융합·코딩 ❷

정답 7쪽

A 단서 를 보고 단어에 알맞은 알파벳 칸을 색칠한 후, 숨어 있는 한글 자음을 찾아 쓰세요.

한글 자음: **ㅂ**

B 출발에서 도착까지 단어가 만들어지도록 칸을 이동한 후, 만든 단어로 문장을 완성하세요.

1. At night, it is **dark** .

2. Let's fly a **kite** .

C 단서 를 보고 그림에 알맞은 색깔을 칠한 후, 문장을 완성하세요.

The butterflies are **yellow** .

46 · 똑똑한 하루 Reading

Level 2 A · 47

Brain Game Zone 창의·융합·코딩 ❸

정답 7쪽

Step A 그림 단서를 보고 보기 에서 알맞은 단어를 골라 퍼즐을 완성하세요.

보기 mountain dark sun moon

m o u n t a i n
o d r
o s u k
n n

Step B Step A 의 단어를 사용하여 글을 완성하세요.

It is summer.
We are on a camping trip.
It is bright.
The **sun** is shining.
The **mountain** is all green.

At night, it is **dark** .
The **moon** is shining.
Alice is watching the stars.
Look! Johnny is sleeping.

Step C 단서 를 보고 암호를 풀어 문장을 쓰세요.

단서 ◐ = watching   ♥ = is   ✿ = It

1. ✿ ♥ summer.
   It is summer.
   여름이야.

2. Alice ♥ ◐ the stars.
   Alice is watching the stars.
   앨리스는 별을 보고 있어.

창의 서술형
✐ 여러분이 캠핑장에 있다고 상상하며 글을 완성하세요.

It is **spring** .
We are on a camping trip.
It is **warm** .
The sun is shining.

At night, it is **cool** .
The moon is shining.
I am watching the **tree** .

48 · 똑똑한 하루 Reading

Level 2 A · 49

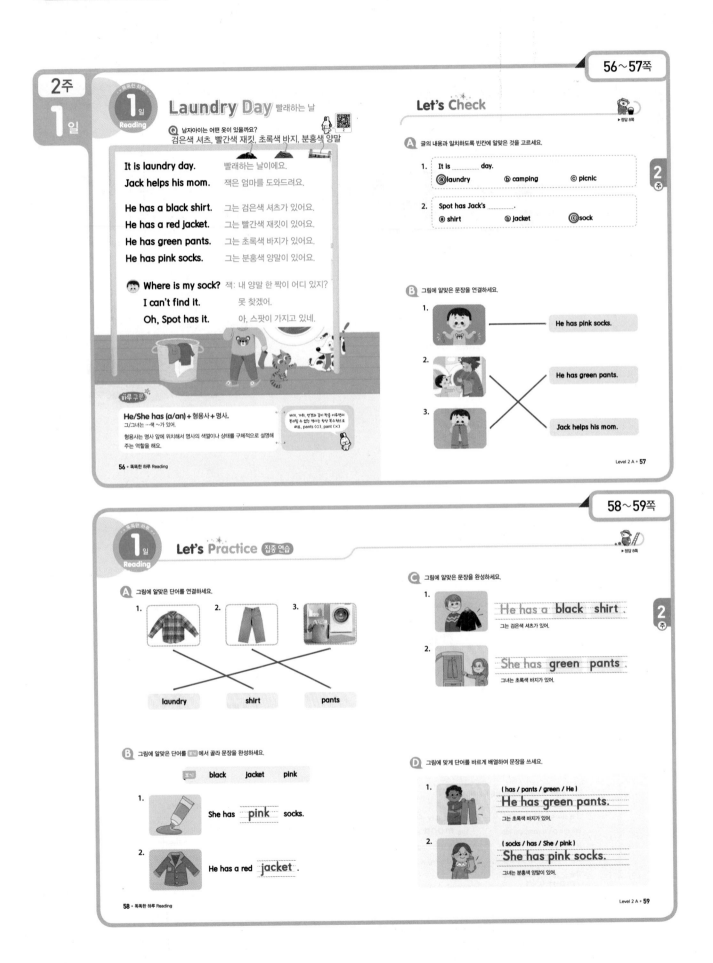

2주

2일

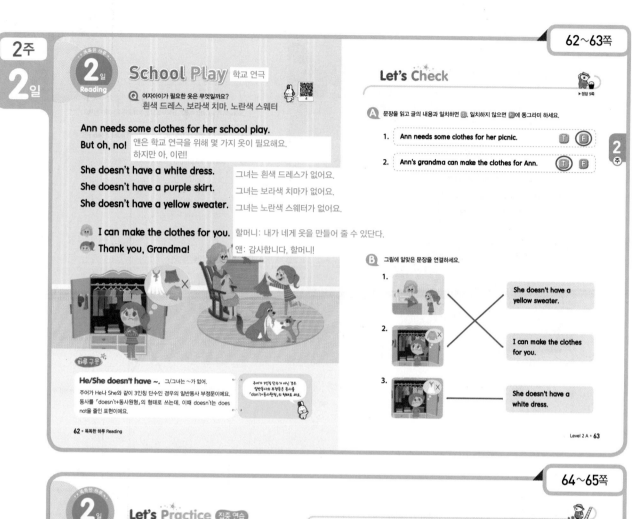

Let's Check

▶정답 9쪽

A 문장을 읽고 글의 내용과 일치하면 T, 일치하지 않으면 F에 동그라미 하세요.

1. Ann needs some clothes for her picnic. T (F)

2. Ann's grandma can make the clothes for Ann. (T) F

B 그림에 알맞은 문장을 연결하세요.

1. She doesn't have a yellow sweater.

2. I can make the clothes for you.

3. She doesn't have a white dress.

Level 2 A · 63

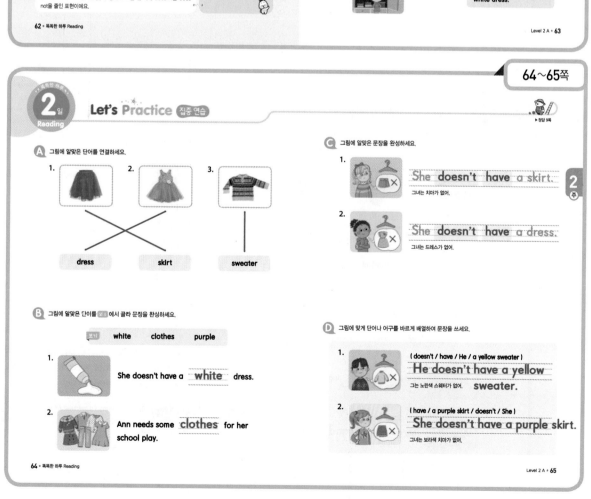

2일

Let's Practice 집중 연습

▶정답 9쪽

A 그림에 알맞은 단어를 연결하세요.

1. 2. 3.

dress   skirt   sweater

B 그림에 알맞은 단어를 보기 에서 골라 문장을 완성하세요.

보기   white   clothes   purple

1. She doesn't have a **white** dress.

2. Ann needs some **clothes** for her school play.

C 그림에 알맞은 문장을 완성하세요.

1. She doesn't have a skirt.
그녀는 치마가 없어.

2. She doesn't have a dress.
그녀는 드레스가 없어.

D 그림에 맞게 단어나 어구를 바르게 배열하여 문장을 쓰세요.

1. (doesn't / have / He / a yellow sweater)
He doesn't have a yellow sweater.
그는 노란색 스웨터가 없어.

2. (have / a purple skirt / doesn't / She)
She doesn't have a purple skirt.
그녀는 보라색 치마가 없어.

64 · 똑똑한 하루 Reading

Level 2 A · 65

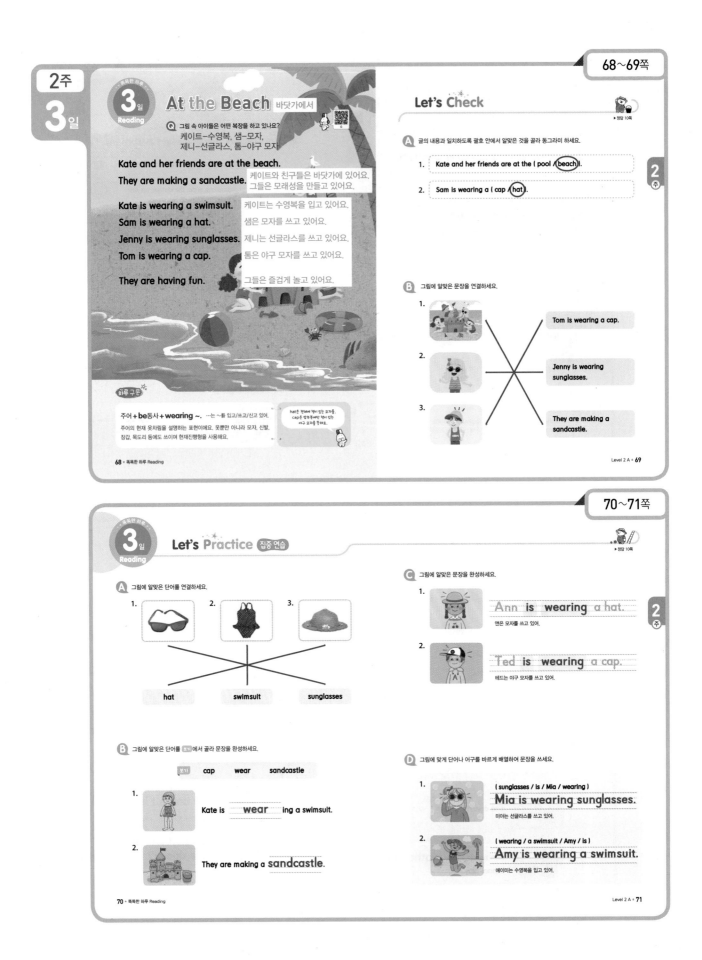

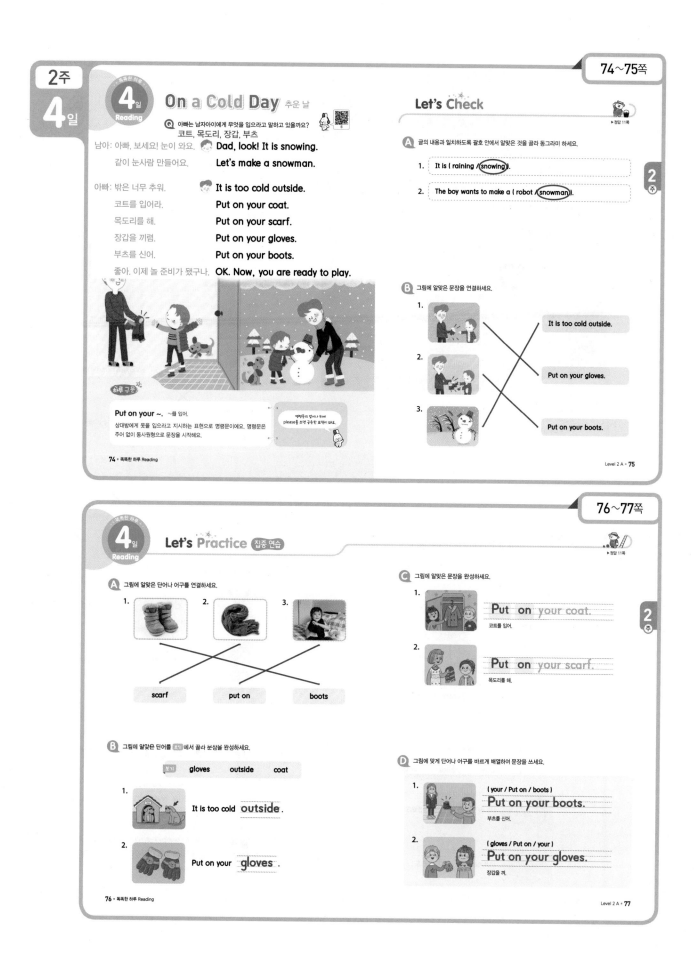

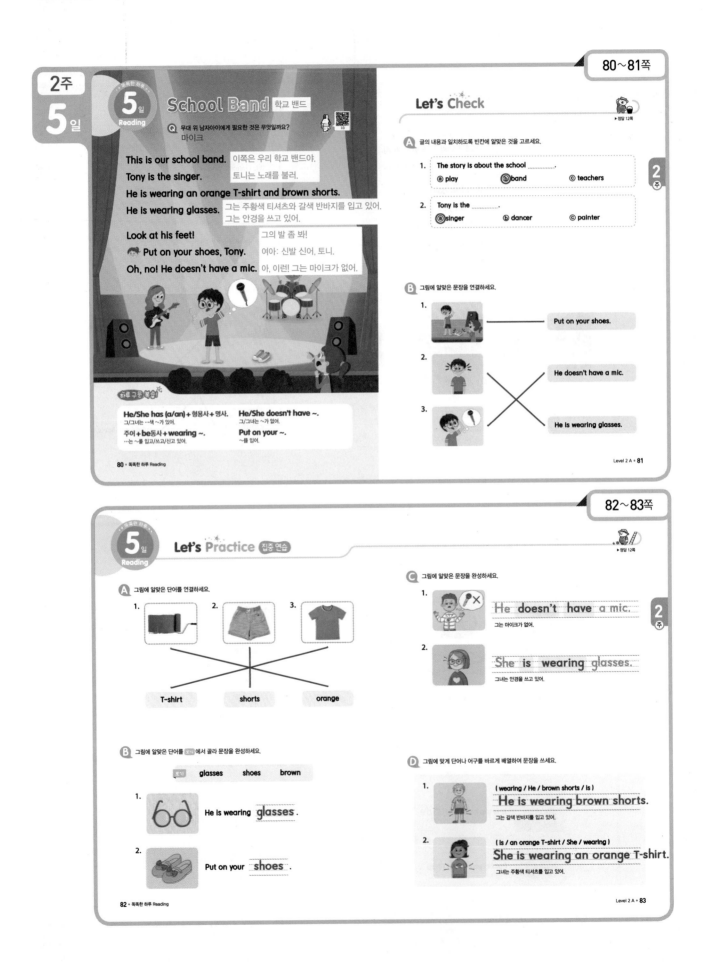

2주 특강

2주 누구나 100점 TEST

맞은 개수

/8개

▶정답 13쪽

1 단어에 알맞은 그림을 고르세요.

pink

① ② ③ ④

2 그림에 알맞은 단어를 고르세요.

① dress
② sweater
③ jacket
④ pants

3 우리말에 맞게 빈칸에 알맞은 것을 고르세요.

그녀는 보라색 치마가 없어.

She _____ a purple skirt.

① has
② don't have
③ doesn't has
④ doesn't have

4 그림을 보고, 알맞은 문장의 기호를 쓰세요.

ⓐ She is wearing a hat.
ⓑ He has orange pants.
ⓒ Put on your shoes.

(1) ⓑ   (2) ⓐ

[5~6] 다음 글을 읽고, 물음에 답하세요.

Dad, look! It is snowing.
Let's make a snowman.

It is too cold outside.
Put on your coat.
Put on your scarf.
장갑을 끼렴.
Put on your boots.
OK. Now, you are ready to play.

5 윗글의 밑줄 친 우리말에 맞게 문장을 완성하세요.

Put on your gloves

6 윗글에서 아빠가 남자아이에게 착용하라고 한 것이 <u>아닌</u> 것을 고르세요.

① ② ③ ④

[7~8] 다음 글을 읽고, 물음에 답하세요.

This is our school band.
Tony is the singer.
He is <u>wear</u> an orange T-shirt and brown shorts.
He is <u>wear</u> glasses.
Look at his feet!
Put on your shoes, Tony.
Oh, no! He doesn't have a mic.

7 윗글의 밑줄 친 wear를 바르게 고쳐 쓰세요.

wear → wearing

8 윗글의 내용과 일치하지 <u>않는</u> 것을 고르세요.

① 토니는 학교 밴드의 구성원이다.
② 토니는 주황색 티셔츠를 입고 있다.
③ 토니는 선글라스를 쓰고 있다.
④ 토니는 마이크가 없다.

84 • 똑똑한 하루 Reading

Level 2 A • 85

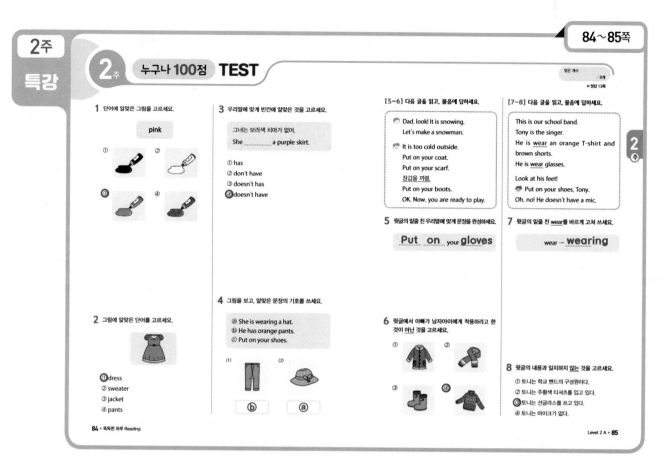

2주 특강 Brain Game Zone

창의·융합·코딩 ❶

▶정답 13쪽

배운 내용을 떠올리며 말판 놀이를 해 보세요.

START

1. 그림을 보고 알맞은 단어에 동그라미 하세요.

shorts / pants

2. 그림에 알맞은 단어를 완성하세요.

p U r p l e

3. 단어를 읽고 알맞은 우리말 뜻과 연결하세요.

swimsuit / 야구 모자
cap / 수영복

4. 그림을 보고 알파벳을 바르게 배열하여 단어를 쓰세요.

earwset → sweater

5. 그림과 단어가 일치하면 O 표, 일치하지 않으면 × 표 하세요.

boots ×

6. 문장을 읽고 알맞은 그림에 동그라미 하세요.

Sue is wearing sunglasses.

7. 우리말에 맞게 문장을 완성하세요.

그는 분홍색 양말이 있어.

He has pink socks

8. 우리말에 알맞은 문장에 ✓ 표 하세요.

그녀는 흰색 드레스가 없어.

She has a white dress. ☐
She doesn't have a white dress. ✓

9. 그림과 문장이 일치하면 O 표, 일치하지 않으면 × 표 하세요.

Put on your shoes. O

10. 우리말에 맞게 단어나 어구를 바르게 배열하여 문장을 쓰세요.

그는 주황색 티셔츠를 입고 있어.

(is / an orange T-shirt / wearing / He)
→ He is wearing an orange T-shirt.

FINISH

86 • 똑똑한 하루 Reading

Level 2 A • 87

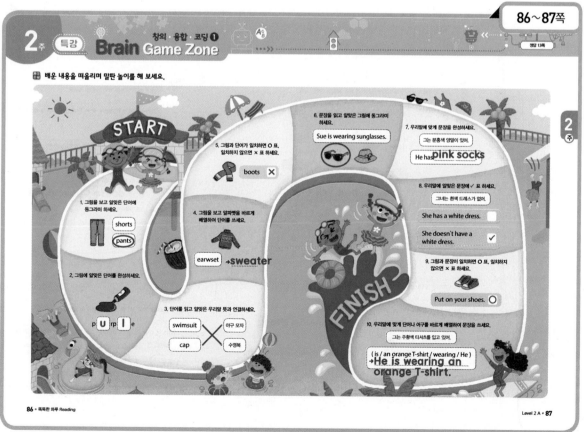

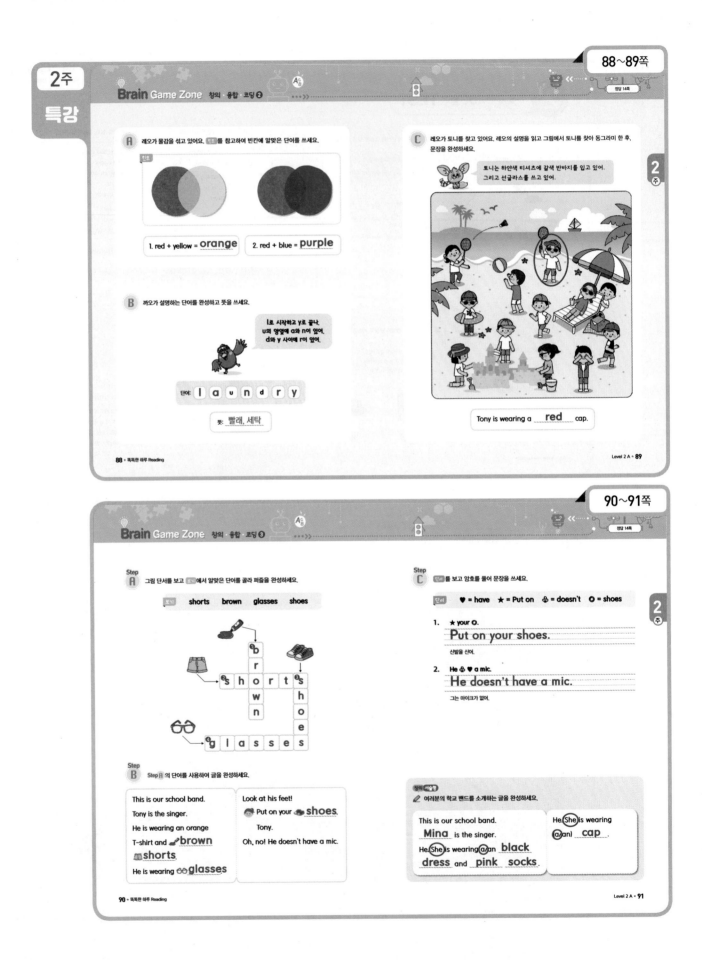

2주
특강

Brain Game Zone 창의·융합·코딩 ❷

A 레오가 물감을 섞고 있어요. 힌트를 참고하여 빈칸에 알맞은 단어를 쓰세요.

힌트

1. red + yellow = **orange**   2. red + blue = **purple**

B 까오가 설명하는 단어를 완성하고 뜻을 쓰세요.

l로 시작하고 y로 끝나.
u의 양옆에 a와 n이 있어.
d와 y 사이에 r이 있어.

단어: **l a u n d r y**

뜻: 빨래, 세탁

C 레오가 토니를 찾고 있어요. 레오의 설명을 읽고 그림에서 토니를 찾아 동그라미 한 후, 문장을 완성하세요.

토니는 하얀색 티셔츠에 갈색 반바지를 입고 있어.
그리고 선글라스를 쓰고 있어.

Tony is wearing a **red** cap.

Brain Game Zone 창의·융합·코딩 ❸

Step A 그림 단서를 보고 보기에서 알맞은 단어를 골라 퍼즐을 완성하세요.

보기   shorts   brown   glasses   shoes

b
r
br**o**w**n**
sh**o**r**t**s
w   h
n   o
e
gl**a**s**s**e**s

Step B Step A 의 단어를 사용하여 글을 완성하세요.

This is our school band.
Tony is the singer.
He is wearing an orange
T-shirt and **brown**
shorts
He is wearing **glasses**

Look at his feet!
Put on your **shoes**
Tony.
Oh, no! He doesn't have a mic.

Step C 단서를 보고 암호를 풀어 문장을 쓰세요.

단서   ♥ = have   ★ = Put on   ☺ = doesn't   ○ = shoes

1. **★ your ○.**
   Put on your shoes.
   신발을 신어.

2. **He ☺ ♥ a mic.**
   He doesn't have a mic.
   그는 마이크가 없어.

창의 서술형
여러분의 학교 밴드를 소개하는 글을 완성하세요.

This is our school band.
Mina is the singer.
He/**She** is wearing a/**an** **black**
dress and **pink** **socks**.

He/**She** is wearing
a/an **cap** .

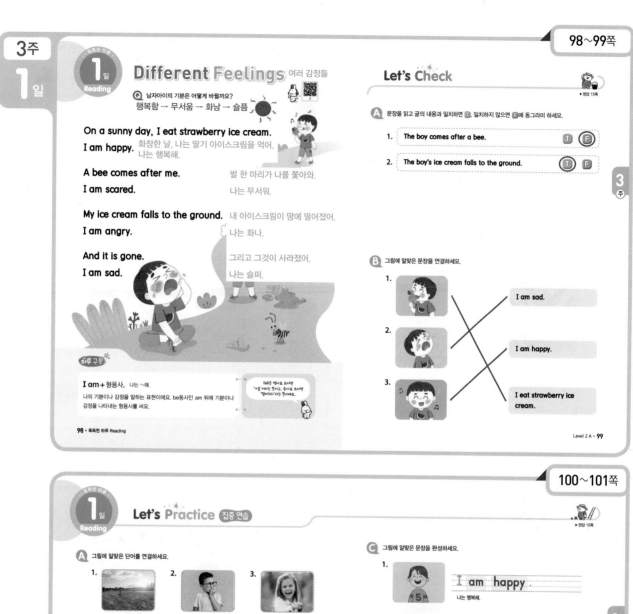

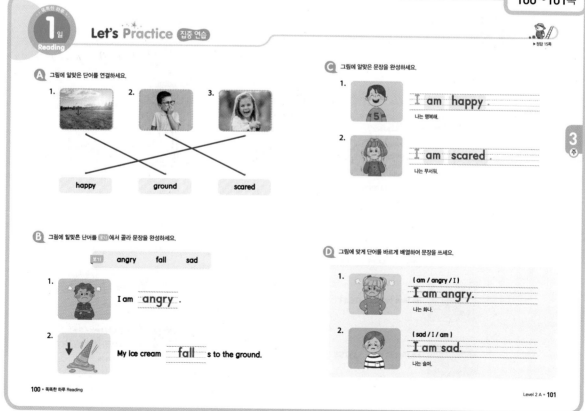

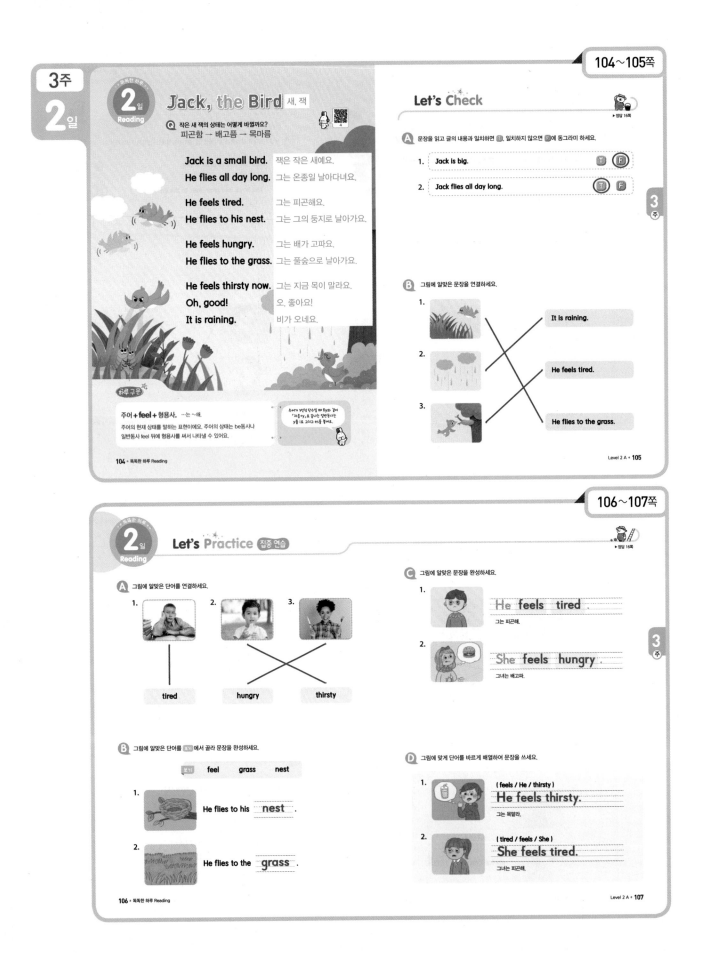

3주

2일

Jack, the Bird 새, 잭

Q 작은 새 잭의 상태는 어떻게 바뀔까요?
피곤함 → 배고픔 → 목마름

Jack is a small bird. — 잭은 작은 새예요.
He flies all day long. — 그는 온종일 날아다녀요.

He feels tired. — 그는 피곤해요.
He flies to his nest. — 그는 그의 둥지로 날아가요.

He feels hungry. — 그는 배가 고파요.
He flies to the grass. — 그는 풀숲으로 날아가요.

He feels thirsty now. — 그는 지금 목이 말라요.
Oh, good! — 오, 좋아요!
It is raining. — 비가 오네요.

하루 구문

주어 + feel + 형용사. …는 ~해.
주어의 현재 상태를 말하는 표현이에요. 주어의 상태는 be동사나 일반동사 feel 뒤에 형용사를 써서 나타낼 수 있어요.

주어가 3인칭 단수일 때 fly는 같이 「자음+y」로 끝나는 일반동사는 y를 i로 고치고 es를 붙여요.

104 • 똑똑한 하루 Reading

Let's Check

▶정답 16쪽

A 문장을 읽고 글의 내용과 일치하면 T, 일치하지 않으면 F에 동그라미 하세요.

1. Jack is big. T (F)
2. Jack flies all day long. (T) F

B 그림에 알맞은 문장을 연결하세요.

1. — He feels tired.
2. — It is raining.
3. — He flies to the grass.

Level 2 A • 105

2일

Let's Practice 집중 연습

▶정답 16쪽

A 그림에 알맞은 단어를 연결하세요.

1. 2. 3.

tired   hungry   thirsty

B 그림에 알맞은 단어를 보기에서 골라 문장을 완성하세요.

보기 feel   grass   nest

1. He flies to his __nest__ .

2. He flies to the __grass__ .

C 그림에 알맞은 문장을 완성하세요.

1. He feels tired
그는 피곤해.

2. She feels hungry .
그녀는 배고파.

D 그림에 맞게 단어를 바르게 배열하여 문장을 쓰세요.

1. (feels / He / thirsty)
He feels thirsty.
그는 목말라.

2. (tired / feels / She)
She feels tired.
그녀는 피곤해.

106 • 똑똑한 하루 Reading

Level 2 A • 107

16 • 정답

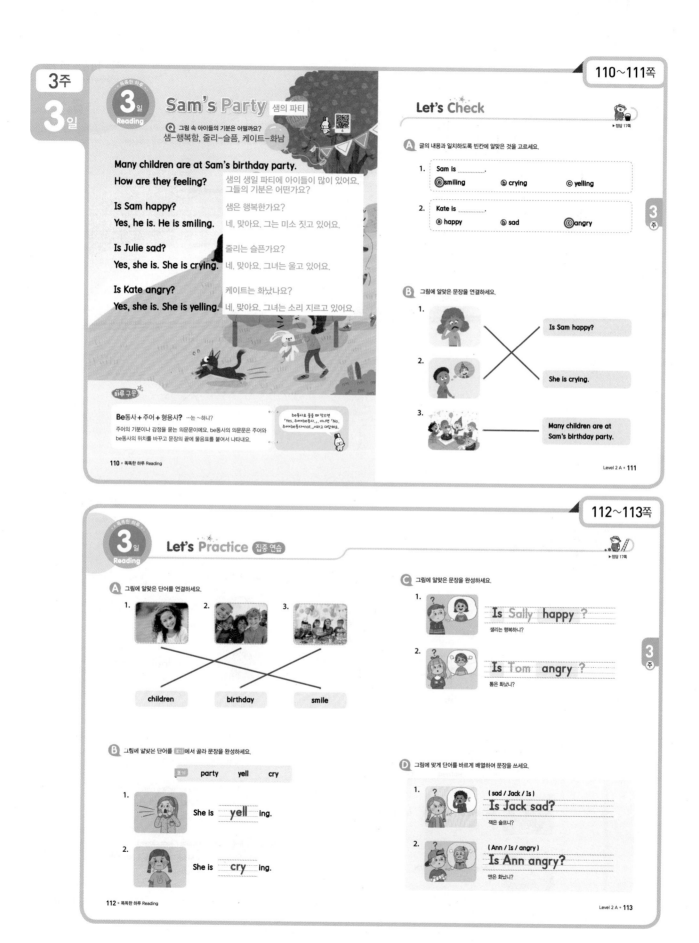

3주 3일

3일 Reading
Sam's Party 샘의 파티

Q 그림 속 아이들의 기분은 어떨까요?
샘-행복함, 줄리-슬픔, 케이트-화남

Many children are at Sam's birthday party.
How are they feeling?

Is Sam happy?
Yes, he is. He is smiling.

Is Julie sad?
Yes, she is. She is crying.

Is Kate angry?
Yes, she is. She is yelling.

샘의 생일 파티에 아이들이 많이 있어요.
그들의 기분은 어떤가요?

샘은 행복한가요?
네, 맞아요. 그는 미소 짓고 있어요.

줄리는 슬픈가요?
네, 맞아요. 그녀는 울고 있어요.

케이트는 화났나요?
네, 맞아요. 그녀는 소리 지르고 있어요.

하루 구문

Be동사 + 주어 + 형용사? …는 ~하니?
주어의 기분이나 감정을 묻는 의문문이에요. be동사의 의문문은 주어와 be동사의 위치를 바꾸고 문장의 끝에 물음표를 붙여서 나타내요.

be동사로 물을 때 맞으면 「Yes, 주어+be동사.」, 아니면 「No, 주어+be동사+not.」이라고 대답해요.

110 ∘ 똑똑한 하루 Reading

Let's Check
▶정답 17쪽

A 글의 내용과 일치하도록 빈칸에 알맞은 것을 고르세요.

1. Sam is _____.
   ⓐ smiling   ⓑ crying   ⓒ yelling

2. Kate is _____.
   ⓐ happy   ⓑ sad   ⓒ angry

B 그림에 알맞은 문장을 연결하세요.

1. ——— Is Sam happy?

2. ——— She is crying.

3. ——— Many children are at Sam's birthday party.

Level 2 A ∘ 111

3일 Reading
Let's Practice 집중 연습
▶정답 17쪽

A 그림에 알맞은 단어를 연결하세요.

1.   2.   3.

children   birthday   smile

B 그림에 알맞은 단어를 보기에서 골라 문장을 완성하세요.

보기   party   yell   cry

1. She is __yell__ ing.

2. She is __cry__ ing.

C 그림에 알맞은 문장을 완성하세요.

1. Is Sally happy ?
   샐리는 행복하니?

2. Is Tom angry ?
   톰은 화났니?

D 그림에 맞게 단어를 바르게 배열하여 문장을 쓰세요.

1. (sad / Jack / Is)
   Is Jack sad?
   잭은 슬프니?

2. (Ann / Is / angry)
   Is Ann angry?
   앤은 화났니?

112 ∘ 똑똑한 하루 Reading

Level 2 A ∘ 113

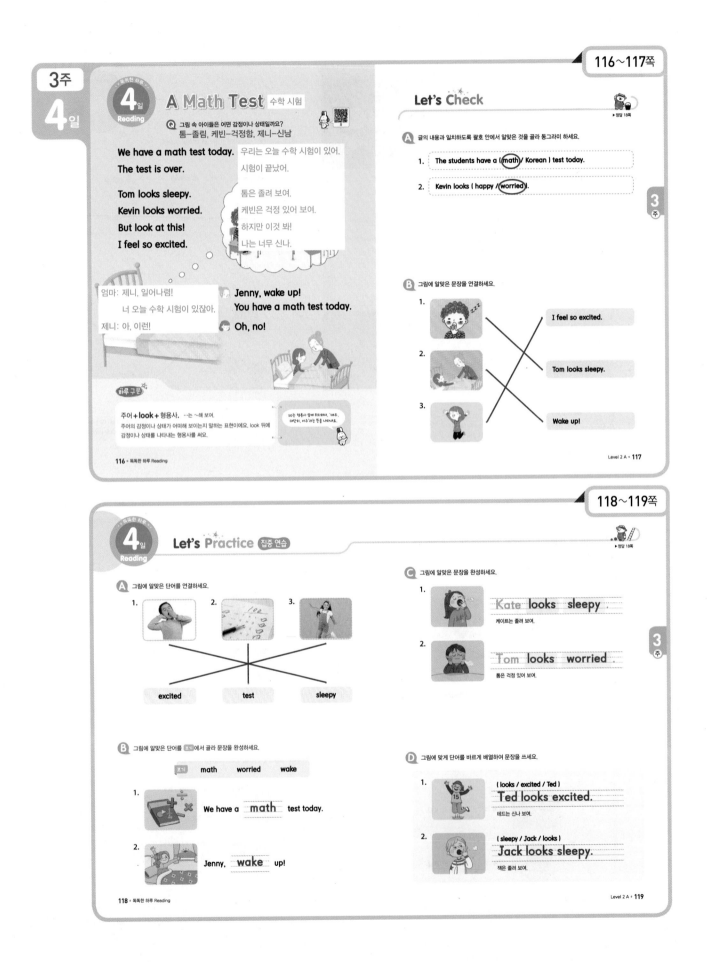

3주 4일

Reading 4일
A Math Test 수학 시험

Q 그림 속 아이들은 어떤 감정이나 상태일까요?
톰-졸림, 케빈-걱정함, 제니-신남

We have a math test today.
The test is over.

Tom looks sleepy.
Kevin looks worried.
But look at this!
I feel so excited.

우리는 오늘 수학 시험이 있어.
시험이 끝났어.

톰은 졸려 보여.
케빈은 걱정 있어 보여.
하지만 이것 봐!
나는 너무 신나.

엄마: 제니, 일어나렴!
너 오늘 수학 시험이 있잖아.
제니: 아, 이런!

Jenny, wake up!
You have a math test today.
Oh, no!

하루 구문

주어 + look + 형용사. …는 ~해 보여.
주어의 감정이나 상태가 어때에 보이는지 말하는 표현이에요. look 뒤에
감정이나 상태를 나타내는 형용사를 써요.

so는 형용사 앞에 더(너무나, '아주,
대단히, 너무'라는 뜻을 나타내요.

Let's Check

▶정답 18쪽

Ⓐ 글의 내용과 일치하도록 괄호 안에서 알맞은 것을 골라 동그라미 하세요.

1. The students have a ((math) / Korean) test today.

2. Kevin looks (happy / (worried)).

Ⓑ 그림에 알맞은 문장을 연결하세요.

1.   I feel so excited.

2.   Tom looks sleepy.

3.   Wake up!

Reading 4일
Let's Practice 집중 연습

▶정답 18쪽

Ⓐ 그림에 알맞은 단어를 연결하세요.

1.   2.   3.

excited   test   sleepy

Ⓑ 그림에 알맞은 단어를 [보기]에서 골라 문장을 완성하세요.

보기   math   worried   wake

1. We have a __math__ test today.

2. Jenny, __wake__ up!

Ⓒ 그림에 알맞은 문장을 완성하세요.

1. Kate looks sleepy .
케이트는 졸려 보여.

2. Tom looks worried .
톰은 걱정 있어 보여.

Ⓓ 그림에 맞게 단어를 바르게 배열하여 문장을 쓰세요.

1. (looks / excited / Ted)
Ted looks excited.
테드는 신나 보여.

2. (sleepy / Jack / looks)
Jack looks sleepy.
잭은 졸려 보여.

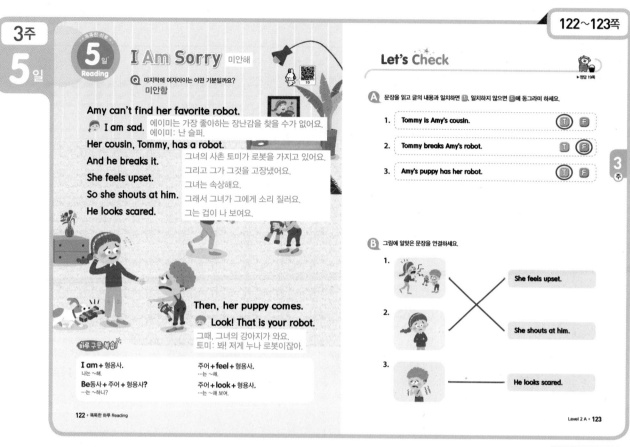

3주

5일
Reading

I Am Sorry 미안해

Q 마지막에 여자아이는 어떤 기분일까요?
미안함

Amy can't find her favorite robot.
🧒 I am sad.
Her cousin, Tommy, has a robot.
And he breaks it.
She feels upset.
So she shouts at him.
He looks scared.

에이미는 가장 좋아하는 장난감을 찾을 수가 없어요.
에이미: 난 슬퍼.
그녀의 사촌 토미가 로봇을 가지고 있어요.
그리고 그가 그것을 고장냈어요.
그녀는 속상해요.
그래서 그녀가 그에게 소리 질러요.
그는 겁이 나 보여요.

Then, her puppy comes.
🧒 Look! That is your robot.
그때, 그녀의 강아지가 와요.
토미: 봐! 저게 누나 로봇이잖아.

하루 구문 복습

I am + 형용사.
나는 ~해.

Be동사 + 주어 + 형용사?
…는 ~하니?

주어 + feel + 형용사.
…는 ~해.

주어 + look + 형용사.
…는 ~해 보여.

122 ▸ 똑똑한 하루 Reading

Let's Check
▸ 정답 19쪽

A 문장을 읽고 글의 내용과 일치하면 T, 일치하지 않으면 F에 동그라미 하세요.

1. Tommy is Amy's cousin. — (T) F

2. Tommy breaks Amy's robot. — T (F)

3. Amy's puppy has her robot. — (T) F

B 그림에 알맞은 문장을 연결하세요.

1. — She feels upset.

2. — She shouts at him.

3. — He looks scared.

Level 2 A ▸ 123

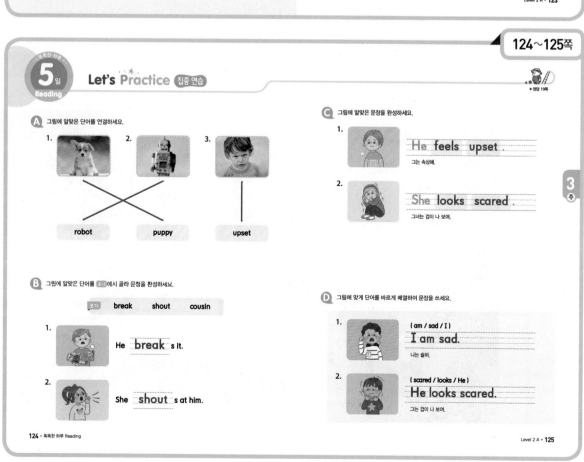

5일
Reading

Let's Practice 집중 연습
▸ 정답 19쪽

A 그림에 알맞은 단어를 연결하세요.

1.　　2.　　3.

robot　　puppy　　upset

B 그림에 알맞은 단어를 보기에서 골라 문장을 완성하세요.

보기　break　shout　cousin

1. He break s it.

2. She shout s at him.

124 ▸ 똑똑한 하루 Reading

C 그림에 알맞은 문장을 완성하세요.

1. He feels upset .
그는 속상해.

2. She looks scared .
그녀는 겁이 나 보여.

D 그림에 맞게 단어를 바르게 배열하여 문장을 쓰세요.

1. (am / sad / I)
I am sad.
나는 슬퍼.

2. (scared / looks / He)
He looks scared.
그는 겁이 나 보여.

Level 2 A ▸ 125

3주 특강

3주 누구나 100점 TEST

맞은 개수 [/8개
▶정답 20쪽

1 단어에 알맞은 그림을 고르세요.

angry

① ② ③ ④

2 그림에 알맞은 단어를 고르세요.

① hungry
② sleepy
③ excited
④ tired

3 우리말에 맞게 빈칸에 알맞은 것을 고르세요.

샘은 행복하니?
_____ Sam happy?

① Are
② Does
③ Do
④ Is

4 그림을 보고, 알맞은 문장의 기호를 쓰세요.

ⓐ I am happy.
ⓑ She feels thirsty.
ⓒ He looks worried.

(1) ⓑ (2) ⓒ

[5~6] 다음 글을 읽고, 물음에 답하세요.

We have a math test today.
The test is over.
Tom looks sleepy.
Kevin looks worried.
But look at this!
I _____ so excited.

Jenny, wake up!
You have a math test today.
Oh, no!

5 윗글의 빈칸에 알맞은 것을 고르세요.

① are
② feel
③ do
④ is

6 윗글의 케빈의 상태를 나타낸 그림으로 알맞은 것을 고르세요.

① ② ③ ④

[7~8] 다음 글을 읽고, 물음에 답하세요.

Amy can't find her favorite robot.
I am sad.
Her cousin, Tommy, has a robot.
And he breaks it.
She feels upset.
So she shouts at him.
그는 겁이 나 보여.
Then, her puppy comes.
Look! That is your robot.

7 윗글의 밑줄 친 우리말에 맞게 문장을 완성하세요.

He looks scared

8 윗글의 내용과 일치하지 않는 것을 고르세요.

① 에이미는 좋아하는 로봇이 없어서 슬퍼한다.
② 토미는 에이미의 사촌이다.
③ 에이미는 토미가 자신의 로봇을 고장냈다고 생각한다.
④ 토미의 강아지가 로봇을 가져온다.

3주 특강 창의·융합·코딩 ❶ Brain Game Zone

정답 20쪽

배운 내용을 떠올리며 말판 놀이를 해 보세요.

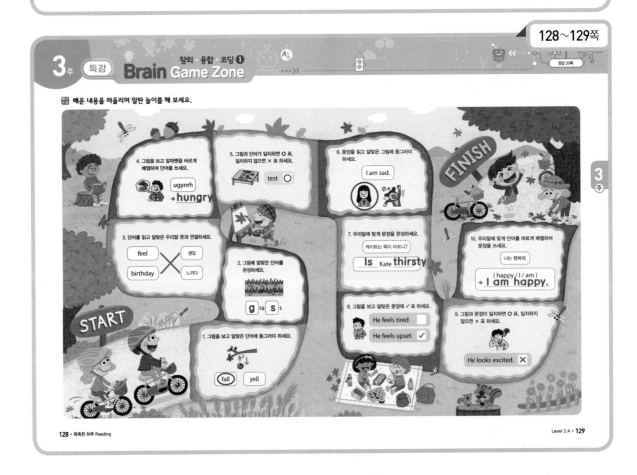

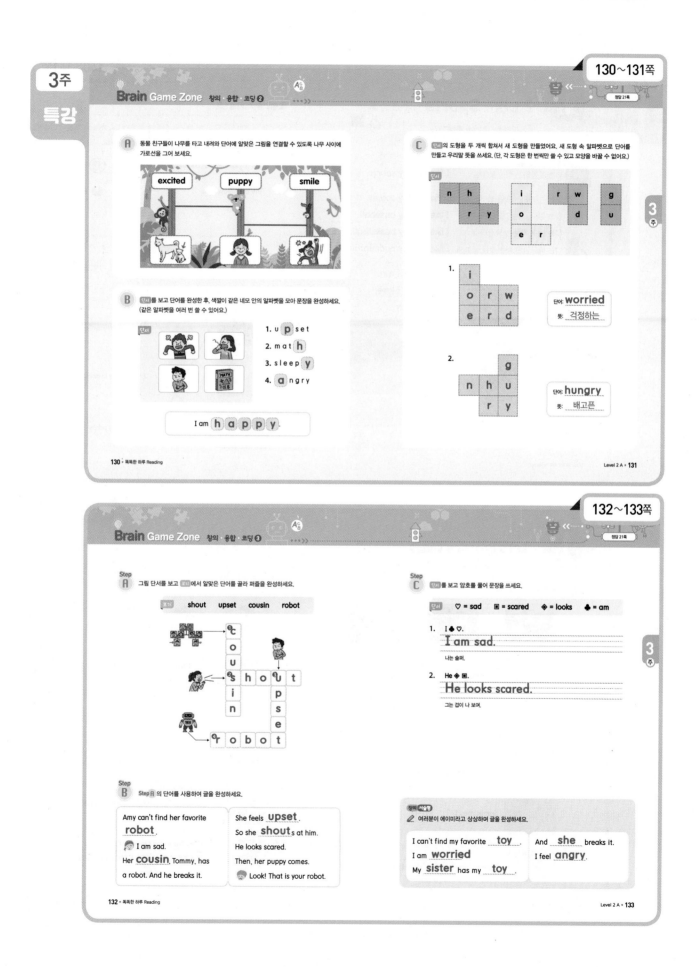

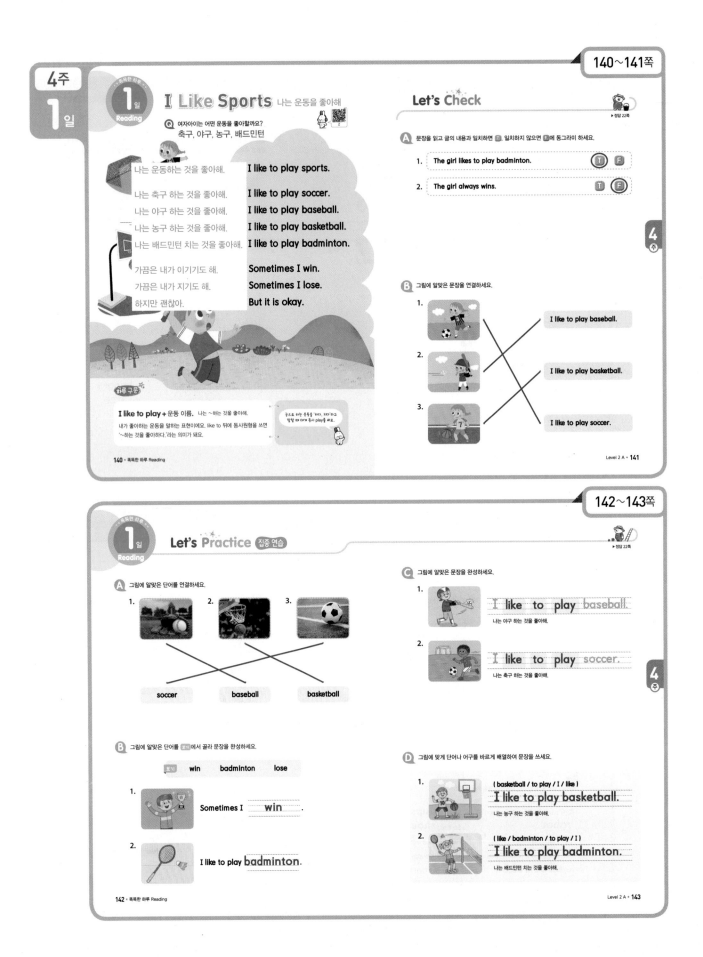

4주

1일 Reading

I Like Sports 나는 운동을 좋아해

❓ 여자아이는 어떤 운동을 좋아할까요?
축구, 야구, 농구, 배드민턴

나는 운동하는 것을 좋아해.	I like to play sports.
나는 축구 하는 것을 좋아해.	I like to play soccer.
나는 야구 하는 것을 좋아해.	I like to play baseball.
나는 농구 하는 것을 좋아해.	I like to play basketball.
나는 배드민턴 치는 것을 좋아해.	I like to play badminton.
가끔은 내가 이기기도 해.	Sometimes I win.
가끔은 내가 지기도 해.	Sometimes I lose.
하지만 괜찮아.	But it is okay.

하루 구문

I like to play + 운동 이름. 나는 ~하는 것을 좋아해.
내가 좋아하는 운동을 말하는 표현이에요. like to 뒤에 동사원형을 쓰면
'~하는 것을 좋아하다.'라는 의미가 돼요.

구으로 하는 운동을 '치다, 하다'라고
말할 때 다 동사 play를 써요.

140 • 똑똑한 하루 Reading

140~141쪽

Let's Check

▶ 정답 22쪽

Ⓐ 문장을 읽고 글의 내용과 일치하면 T, 일치하지 않으면 F에 동그라미 하세요.

1. The girl likes to play badminton.　　Ⓣ Ⓕ

2. The girl always wins.　　Ⓣ **Ⓕ**

Ⓑ 그림에 알맞은 문장을 연결하세요.

1. ⸻ I like to play baseball.

2. ⸻ I like to play basketball.

3. ⸻ I like to play soccer.

Level 2 A • 141

142~143쪽

1일 Reading

Let's Practice 집중 연습

▶ 정답 22쪽

Ⓐ 그림에 알맞은 단어를 연결하세요.

1. 　　2. 　　3.

soccer　　baseball　　basketball

Ⓑ 그림에 알맞은 단어를 보기에서 골라 문장을 완성하세요.

보기　win　badminton　lose

1. Sometimes I ___win___.

2. I like to play __badminton__

Ⓒ 그림에 알맞은 문장을 완성하세요.

1. I like to play baseball
나는 야구 하는 것을 좋아해.

2. I like to play soccer.
나는 축구 하는 것을 좋아해.

Ⓓ 그림에 맞게 단어나 어구를 바르게 배열하여 문장을 쓰세요.

1. (basketball / to play / I / like)
I like to play basketball.
나는 농구 하는 것을 좋아해.

2. (like / badminton / to play / I)
I like to play badminton.
나는 배드민턴 치는 것을 좋아해.

142 • 똑똑한 하루 Reading

Level 2 A • 143

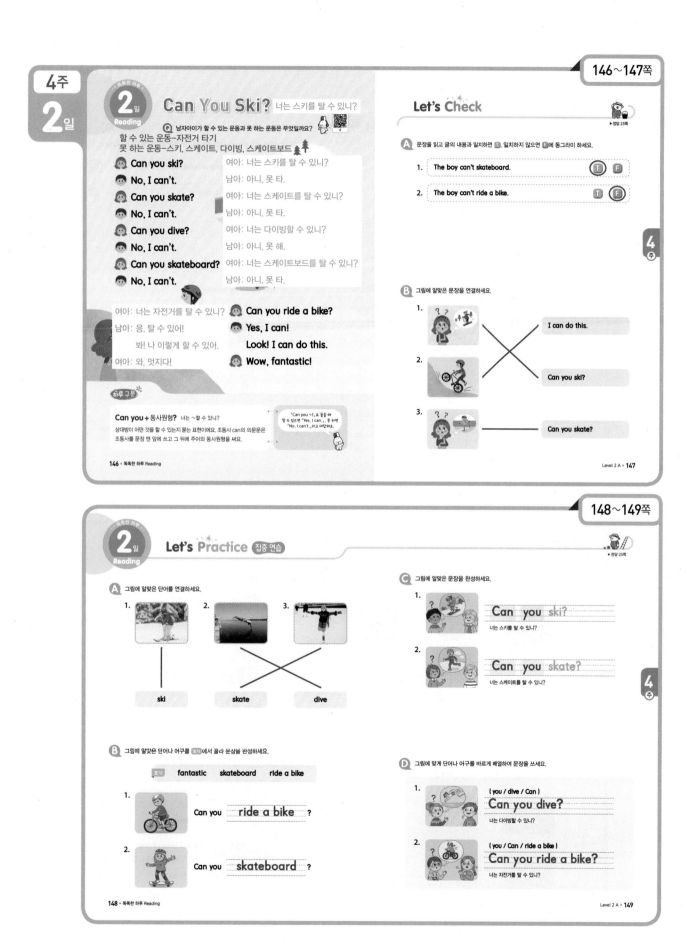

정답 • **23**

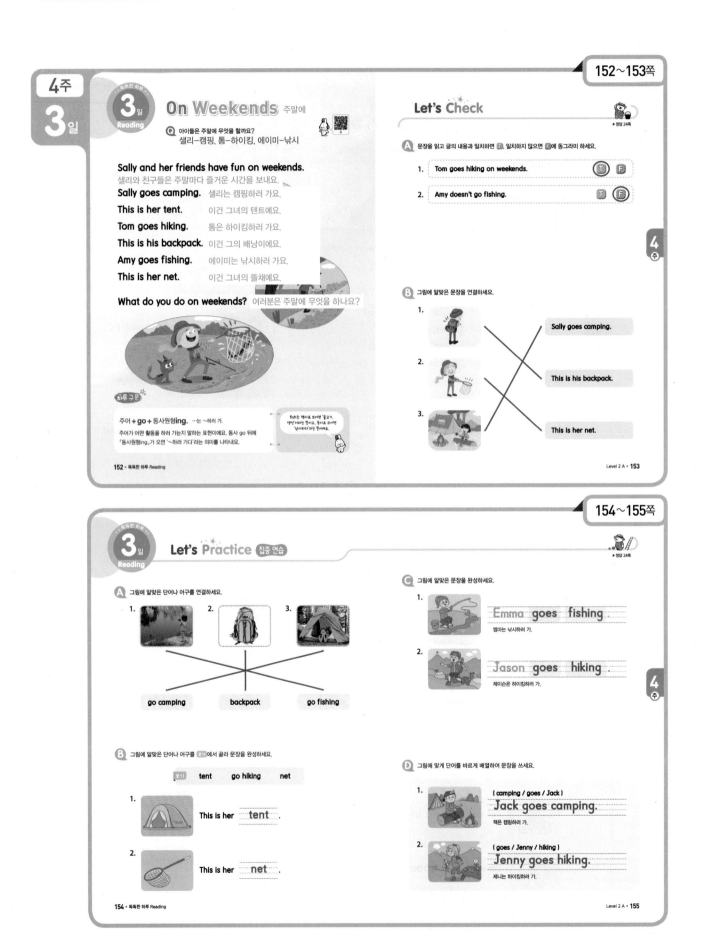

4주
3일 Reading

On Weekends 주말에

Q 아이들은 주말에 무엇을 할까요?
샐리-캠핑, 톰-하이킹, 에이미-낚시

Sally and her friends have fun on weekends.
샐리와 친구들은 주말마다 즐거운 시간을 보내요.

Sally goes camping. 샐리는 캠핑하러 가요.

This is her tent. 이건 그녀의 텐트예요.

Tom goes hiking. 톰은 하이킹하러 가요.

This is his backpack. 이건 그의 배낭이에요.

Amy goes fishing. 에이미는 낚시하러 가요.

This is her net. 이건 그녀의 뜰채예요.

What do you do on weekends? 여러분은 주말에 무엇을 하나요?

하루 구문

주어 + go + 동사원형ing. …는 ~하러 가.
주어가 어떤 활동을 하러 가는지 말하는 표현이에요. 동사 go 뒤에
「동사원형ing」가 오면 '~하러 가다'라는 의미를 나타내요.

fish는 명사로 쓰이면 '물고기',
생선'이라는 뜻이고, 동사로 쓰이면
'낚시하다'라는 뜻이에요.

152 • 똑똑한 하루 Reading

Let's Check

▶정답 24쪽

A 문장을 읽고 글의 내용과 일치하면 T, 일치하지 않으면 F에 동그라미 하세요.

1. Tom goes hiking on weekends. (T) (F)

2. Amy doesn't go fishing. (T) (F)

B 그림에 알맞은 문장을 연결하세요.

1. —— Sally goes camping.

2. —— This is his backpack.

3. —— This is her net.

Level 2 A • 153

3일 Reading

Let's Practice 집중 연습

▶정답 24쪽

A 그림에 알맞은 단어나 어구를 연결하세요.

1. 2. 3.

go camping   backpack   go fishing

B 그림에 알맞은 단어나 어구를 보기에서 골라 문장을 완성하세요.

보기 tent   go hiking   net

1. This is her tent .

2. This is her net .

C 그림에 알맞은 문장을 완성하세요.

1. Emma goes fishing
엠마는 낚시하러 가.

2. Jason goes hiking .
제이슨은 하이킹하러 가.

D 그림에 맞게 단어를 바르게 배열하여 문장을 쓰세요.

1. (camping / goes / Jack)
Jack goes camping.
잭은 캠핑하러 가.

2. (goes / Jenny / hiking)
Jenny goes hiking.
제니는 하이킹하러 가.

154 • 똑똑한 하루 Reading

Level 2 A • 155

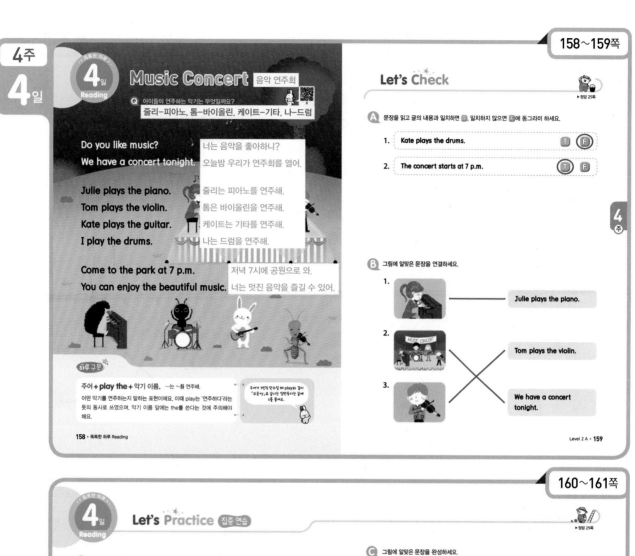

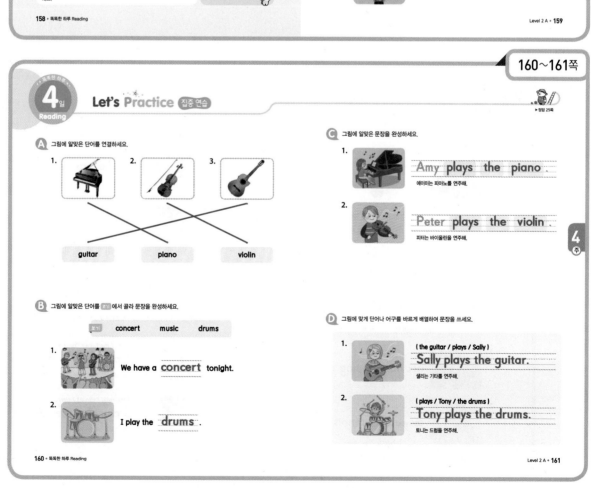

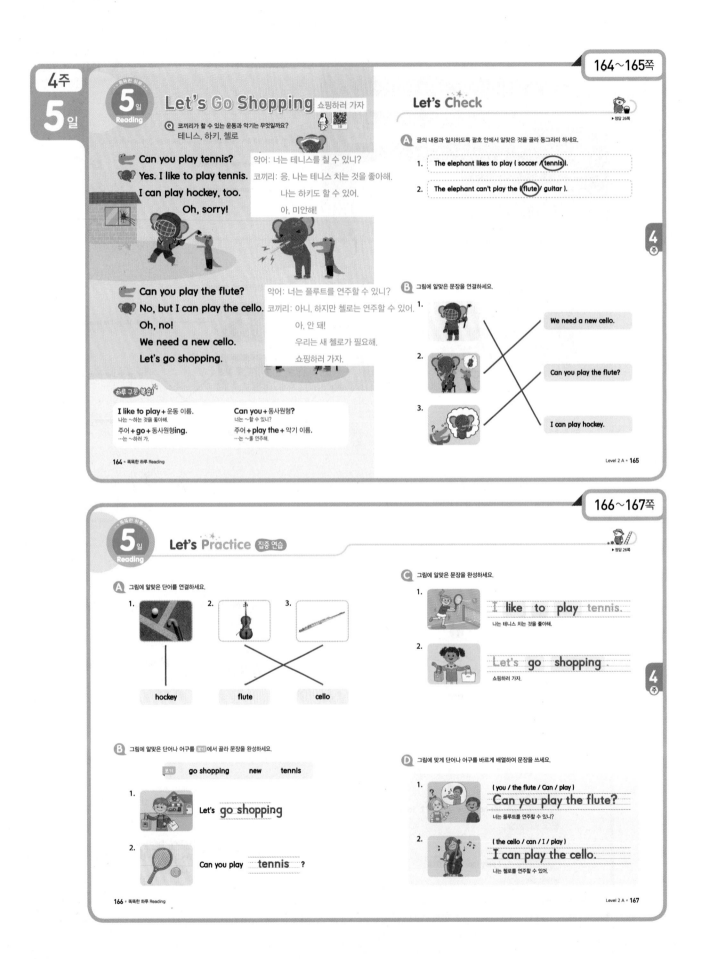

정답

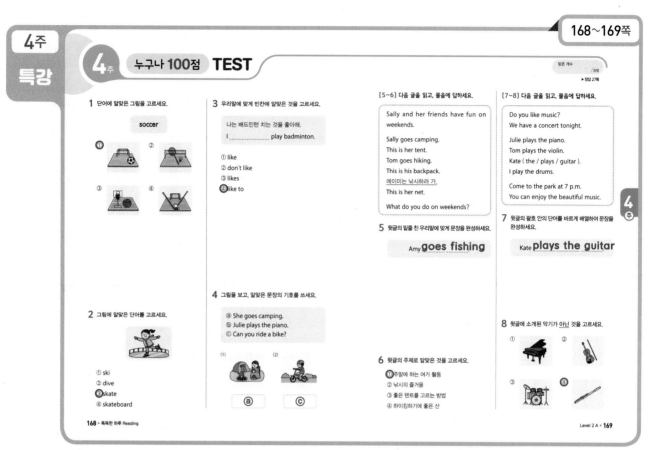

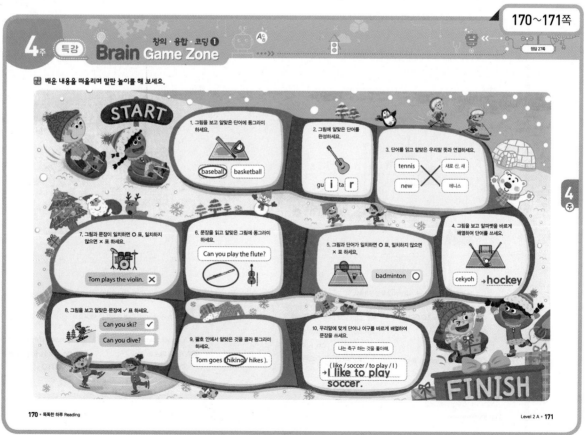

172~173쪽

4주
특강

Brain Game Zone 창의·융합·코딩 ❷

정답 28쪽

A 로봇이 말하는 알파벳을 순서대로 빙고판에 표시하여 한 줄 빙고를 만든 후, 단어를 쓰세요.

i ⇨ b ⇨ o ⇨ e ⇨ p ⇨ n ⇨ g ⇨ r ⇨ a

단어: p i a n o

B 끝말잇기로 모든 기차 칸의 단어를 완성한 후, 마지막 단어를 쓰세요.

tent | tenniS | SkateboarD | drumS | Ski

마지막 단어: **ski**

C 레오와 까오의 설명을 읽고 해당하는 단어를 보기 에서 모두 골라 쓴 후, 마지막까지 살아 남는 단어로 문장을 완성하세요.

보기 soccer baseball basketball hockey

공을 이용한 운동이야.
단어 soccer, baseball, basketball, hockey

어딘가에 공을 넣어야 해.
단어 soccer, basketball, hockey

한 팀의 선수는 9명 이상이야.
단어 soccer, hockey

손을 사용해서 득점할 수 없어.
단어 soccer

I like to play **soccer**.

172 • 똑똑한 하루 Reading

Level 2 A • 173

174~175쪽

Brain Game Zone 창의·융합·코딩 ❸

정답 28쪽

Step A 그림 단서를 보고 보기 에서 알맞은 단어나 어구를 골라 퍼즐을 완성하세요.

보기 go shopping tennis new cello

t e n n i s
e
l
l
g o s h o p p i n g
e
w

Step B Step A 의 단어나 어구를 사용하여 글을 완성하세요.

Can you play **tennis**?
Yes. I like to play **tennis**.
I can play hockey, too.
Oh, sorry.

Can you play the flute?
No, but I can play the **cello**. Oh, no!
We need a **new** **cello**.
Let's **go shopping**.

Step C 단어 를 보고 암호를 풀어 문장을 쓰세요.

단어 ◆ = play ◑ = shopping ♤ = Can ▽ = go

1. ♤ you ◆ tennis?
Can you play tennis?
너는 테니스를 칠 수 있니?

2. Let's ▽ ◑.
Let's go shopping.
쇼핑하러 가자.

창의 서술형
여러분이 코끼리라고 상상하며 대화를 완성하세요.

Can you play badminton?
Yes. I like to play **badminton**.
I can play **baseball**, too.

Can you play the violin?
No, but I can play the **piano**.

174 • 똑똑한 하루 Reading

Level 2 A • 175

초등 영어 자기주도학습 기초서

매일매일 쌓이는 영어 기초력

똑똑한 하루

VOCA/Reading/Grammar/Phonics

공부 습관 다지기

하루 6쪽, 주 5일, 4주 학습의
체계적인 구성으로 차곡차곡
실력이 쌓이는 영어 공부 습관!

전 영역 마스터

보카, 리딩, 그래머, 파닉스까지
초등 영어 전 영역을 커버하는
완벽한 구성으로 영어 걱정 끝!

재미있는 놀이 학습

그림, 만화, 창의 게임 활동 등의
놀이 학습과 발음 동영상으로
가장 쉽고 재미있게 기초력 UP!

'똑똑한 하루 영어 시리즈'와 함께 똑똑하게 영어 공부하자!

VOCA, Reading, Grammar 각 8권
초3~6 각 A·B (하루 6쪽)

Phonics 8권
Starter A·B, 1A·1B (하루 4쪽)
2A~3B (하루 6쪽)

정답은
이안에
있어!

수학 전문 교재

● 연산 학습

　빅터연산　　　　　　　　　예비초~6학년, 총 20권

● 개념 학습

　개념클릭 해법수학　　　　　1~6학년, 학기용

● 수준별 수학 전문서

　해결의법칙(개념/유형/응용)　1~6학년, 학기용

● 단원평가 대비

　수학 단원평가　　　　　　　1~6학년, 학기용

● 상위권 학습

　최고수준 S 수학　　　　　　1~6학년, 학기용

　최고수준 수학　　　　　　　1~6학년, 학기용

　최강 TOT 수학　　　　　　　1~6학년, 학년용

● 경시대회 대비

　해법 수학경시대회 기출문제　1~6학년, 학기용

예비 중등 교재

● 해법 반편성 배치고사 예상문제　　6학년

● 해법 신입생 시리즈(수학/영어)　　6학년

맞춤형 학교 시험대비 교재

● 열공 전과목 단원평가　　　　1~6학년, 학기용(1학기 2~6년)

한자 교재

● 한자능력검정시험 자격증 한번에 따기　8~3급, 총 9권

● 씸씸 한자 자격시험　　　　　8~5급, 총 4권

● 한자 전략　　　　　　　　　8~5급Ⅱ, 총 12권

배움으로 행복한 내일을 꿈꾸는
천재교육 커뮤니티 안내 . . .

교재 안내부터 구매까지 한 번에!
천재교육 홈페이지

자사가 발행하는 참고서, 교과서에 대한 소개는 물론
도서 구매도 할 수 있습니다. 회원에게 지급되는 별을 모아
다양한 상품 응모에도 도전해 보세요!

다양한 교육 꿀팁에 깜짝 이벤트는 덤!
천재교육 인스타그램

천재교육의 새롭고 중요한 소식을 가장 먼저 접하고 싶다면?
천재교육 인스타그램 팔로우가 필수!
깜짝 이벤트도 수시로 진행되니 놓치지 마세요!

수업이 편리해지는
천재교육 ACA 사이트

오직 선생님만을 위한, 천재교육 모든 교재에 대한 정보가 담긴
아카 사이트에서는 다양한 수업자료 및 부가 자료는 물론
시험 출제에 필요한 문제도 다운로드하실 수 있습니다.

https://aca.chunjae.co.kr

천재교육을 사랑하는 샘들의 모임
천사샘

학원 강사, 공부방 선생님이시라면 누구나 가입할 수 있는 천사샘!
교재 개발 및 평가를 통해 교재 검토진으로 참여할 수 있는 기회는 물론
다양한 교사용 교재 증정 이벤트가 선생님을 기다립니다.

아이와 함께 성장하는 학부모들의 모임공간
튠맘 학습연구소

튠맘 학습연구소는 초·중등 학부모를 대상으로 다양한 이벤트와 함께
교재 리뷰 및 학습 정보를 제공하는 네이버 카페입니다.
초등학생, 중학생 자녀를 둔 학부모님이라면 튠맘 학습연구소로 오세요!

첫째 끄끄서

공부 잘하는 아이들의 비결

성적
향상에
강한
밀크T

키즈부터 고등까지
전학년, 전과목 무제한 수강

| 초등 교과 학습 전문 최정예 강사진 |
| 국·영·수 수준별 심화학습 |
| 최상위권으로 만드는 독보적 콘텐츠 |
| 우리 아이만을 위한 정교한 AI 1:1 맞춤학습 |
| 1:1 초밀착 관리 시스템 |

www.milkt.co.kr | 1577-1533

성적이 오르는 공부법
무료체험 후 결정하세요!

book.chunjae.co.kr

교재 내용 문의	....	교재 홈페이지 ▸ 초등 ▸ 교재상담
교재 내용 외 문의	....	교재 홈페이지 ▸ 고객센터 ▸ 1:1문의
발간 후 발견되는 오류	....	교재 홈페이지 ▸ 초등 ▸ 학습지원 ▸ 학습자료실

63740

9 791125 966166

ISBN 979-11-259-6616-6

정가 15,000원

KC

어린이제품
안전 특별법에
의한 품질 표시

My name~

초등학교

학년   반   번

미름